KB121401

- 새로운 세계를 만나다 -

삶이 활짝 피어나는 꽃처럼

김선영

들어가는 글

중학교 2학년, 막연하게 작가를 꿈꾸던 시절이 있었다.

그 시절 순정만화인 들장미 소녀 캔디, 떠돌이 까치 등 수많은 만화가 유행하던 시절 아마도 학생들은 거의 한 번쯤은 읽었을 것이다. 만화를 읽지 않은 친구들은 왕따 아닌 왕따가 될 정도로 몇 명만 모이면 만화이야기로 우정을 쌓았던 시절.

하늘에 떠 있는 뭉게구름을 보며 친구들하고 감상하면서 양떼들이 몰려다니는 것처럼 보인다고 손을 뻗어 몇 마리인지 세어보고, 강아지처럼 생겼어, 새가 날아다는 것처럼 보인다고 뭉게구름에 이름을 붙여가며 우정을 나누던 순수했던 시절.

예쁜 꽃을 보면서 향기를 맡으며 꽃말의 뜻을 알기 위해 서점에 가서 하루 종일 서점주인 눈치 보면서 이 책 저 책 꺼내어 보고 수첩에 메모하면서 꽃말을 외우던 기억, 지금은 인터넷과 스마트폰이 있어서 검색만 하면 찾아볼 수 있지만, 그 시절에는 인터넷이 없었기에 오로지 책으로만 배울 수 있었고, 가정형편이 어려워서 책을 살 수 없어 서점에 가서 몰래 훔쳐보던 호기심이 많은 학창 시절을 보냈던 추억도 생각났다.

여고시절 추억을 가슴에 묻고 가정형편 때문에 어쩔 수 없이 대학과 동시에 꿈을 접을 수밖에 없었다. 회사를 다니면서도 서점에서 책을 사서 보는 것만으로 위안 삼았고, 스물한 살에 우연히 '산골소녀 옥진이' 시집을 사서 읽다가 울었던 기억도 있다. 작가는 여고시절 수학여행 때 사고로 전신마비가 되어 불편한 몸과 손가락으로 피토해내듯 감성으로 표현했던 시, '내일은 비' 소설을 읽고 두 자매가 물질주의와 운명의 덫에 정면으로 부딪치며 저항하다가 마지막에 용서하고 화해하면서 새로운 사랑이 시작된다는 이야기를 쓴 소설은 아직도 생생하게 가슴속에 남아있다. '지란지교를 꿈꾸며'를 읽고 감명 받아 산문시와 수필을 좋아하게 되었고 수필작가의 꿈을 꾸면서 친구들이 부러워했던 대우정밀 총무과에서 근무하던 곳을 당당하게 사표를 내고 무작정 서울로 상경하여 조그만 건설회사 경리과에 입사하여 낮에는 일하고 밤에는 학원을 다니면서 국문학과를 전공하여 작가가 되겠다는 꿈을 안고 도전했다. 그러나 세상은 내가 생각한 것처럼 순탄하지 않았으며 갈등과 방황 속에서 남편을 만나 꿈을 접고 결혼으로 평범한 주부의 길을 선택했다. 10년 동안 가족의 사랑을 받으며 영원히 행복하게 살 줄 알았는데 나의 운명은 또다시 갈등과 방황 속에서 고통의 세월을 살아야만 했다.

40여 년이란 세월이 흘러 순수하고 꿈 많던 소녀가 이제는 세상 풍파를 만나 희로애락 인생의 삶을 살아왔고 어느 날 나의 내면을 들여다보게 되면서 글로 표현하리라고는 생각조차 못했던 기적이 일어났다.

이 글의 모든 이야기는 나에게 일어난 15년 동안 새로운 세계를 만나 신비로운 체험과 경험한 이야기를 "참선체험"을 통해 참 불자로 거듭나게 해준 시절인연을 만나게 된 이야기이다.

옷깃만 스쳐도 인연이라는 말이 있듯이 멀리서 염불소리에 감동을 받아 심금을 울렸던 스님이었지만 대화 한 번 못하고 마음속에 묻어둔 채 또 다른 인연으로 떠나야만 했다. 10년이란 세월이 흘러서 우연히 스님 소식을 듣는 순간 옛 기억이 떠올랐지만 한동안 망설이다가 드디어 1년이란 시간이 흘러 다시 만나면서 나의 삶의 변화가 일어나기 시작했다.

“참선체험”을 하면서 알 수 없는 마음이 일어나고 무언가를 찾아서 배움의 목마름을 채우기 위해 특별 강의를 들으러 서울로 동분서주하면서 뛰어다녔다. 나는 새벽까지 장사를 하기 때문에 잠을 제대로 잘 수 없었지만 목마름의 갈증을 해소하기 위해 피곤함을 느끼지 못할 정도였다. 몇 개월 동안 배움의 강의를 들으러 다녔고, 25년 동안 무사고였던 내가 졸음운전으로 접촉사고가 두 번씩이나 났을 정도였다.

가족들이 졸음운전 하는 것이 불안하다고 걱정을 많이 해서 30년 만에 처음으로 지하철을 타고 다닐 정도로 끓어 오르는 마음을 멈출 수가 없었다.

지하철을 타면서 옛 향수를 맡으며 많은 사람들의 공간 속에 같이 숨 쉬고 소통하면서 살아있음에 감사하고 새삼스럽게 자유로움과 행복을 느낄 수 있는 시간이었다.

언젠가부터 나는 새장 속에 갇혀 살고 있었고, 시련과 고통 속에서 상처를 더욱더 내 마음속에 묻어두고 세상 사람들과 소외된 삶을 살고 있었다.

긴 터널 속에 갇혀 있던 나를 세상 밖으로 나올 수 있게 이끌어주신 분이 바로 부처님이시다. 부처님 법을 만나 부처님을 시봉하는 순간부터 공경하는 마음이 일어나면서 천 일 동안 마음의 평화와 행복함을 느낄 수 있었다. 그러나 나 자신에게 올라오는 탐, 진, 치를 깨우치지 못한 채 얇은 얼음과 같은 수행으로 얻어진 지혜와 능력을 번뇌 속에서 10년이란 세월 동안 또다시 수렁에 빠져 헤매며 방황하고 있었다.

인연의 끈을 놓지 못하고 마음이 일어날 때마다 부처님이 계신 도량을 찾아 전국 사찰 성지순례를 하면서 세월을 보냈고, 관세음보살 보문품 사경기도를 하면서 마침내 시절인연을 만나게 되었다.

회주큰스님과 한주스님의 20여 년의 인연을 본 순간 나도 모르게 마음이 숙연해지고 몇 개월 동안 법회 때 회주스님의 법문과 한주스님의 가르침을 배우며 내려놓음의 지혜와 모든 일어나는 온갖 문제들을 원만하게 해결할 수 있는 혜안으로 드디어 참된 불자로 거듭날 수 있게 이끌어 주셨다.

평범한 불자이면서도 평범하지 않은 불자의 삶을 살아온 나는 평범한 불자가 되려고 해도 한곳에 머무르지 못하고 떠돌아다녀야만 했던 불자로서의 삶, 이제야 멈출 수 있다는 것이 얼마나 행복한지 어느 누구도 모를 것이다.

사람은 노력보다 결과를 먼저 기대하기 때문에 무모해지고 탐욕스러워지고, 조바심 내고, 빨리 좌절하기도 한다. 만물은 물 흐르듯이 태어나고 자라나서 또 사라진다는 것의 연기법을 깨닫지 못했기 때문일 것이다.

자연의 순리처럼 모든 것에는 순서가 있고 기다림은 헛됨이 아닌 과정이었다.

"한 송이 국화꽃을 피우기 위해 봄부터 소쩍새는 그리 울었나 보다"라고 어느 시인이 말했듯이 꽃 한 송이를 피우기 위해 계절의 변화와 오랜 기다림이 필요하듯이 이 세상에는 변하지 않는 것 없고 아름다움을 그대로 유지하는 것도 없고, 지금 가진 것을 영원히 누릴 수도 없다. 비우고 내려놓음으로써 모든 인생은 순리에 따르면 윤택해지고 마음도 더욱 밝아진다는 것을 알 수 있었다.

새벽예불을 하기 위해 법당에 들어서는 내 마음은 무척 설레었다.

그동안 잊고 있던 마음이 일어나면서 이 순간이 얼마나 그리웠는가?

삼보에 귀의하는 절을 하려는 순간 마음이 울컥해지면서 간절한 마음으로 발원을 하는데 나도 모르게 눈가에 눈물이 맺혔다. 새벽 참선으로 나를 성찰하면서 내면에 머무르고 있던 잠재력과 감수성을 찾을 수 있는 계기가 되어 꿈을 꾸기 시작했다.

멈출 수가 없을 정도로 끓기 시작한 마음은 꿈 너머 꿈을 꾸며 잠자는 시간조차 아까울 정도로 간절한 소망이 되었다. 고생 끝에 낙이 온다는 고진감래의 사자성어가 있듯이 드디어 내가 바라고 원하던 작가와의 인연으로 만나게 되면서부터 나의 내면에 숨겨져 있던 꿈을 찾을 수 있었다.

글쓰기 작가의 첫 강의를 듣고 나도 모르게 눈물이 날 정도로 감성이 되살아나기 시작하면서 지나간 나의 삶과 학창시절의 추억이 떠오르기 시작했다.

특별강의를 듣고 지하철을 타고 내려오면서 유리창에 비친 나의 얼굴을 바라보게 되었다. 오십이 훌쩍 넘은 내 얼굴을 처음으로 한 시간씩이나 바라보며 지금까지 살아온 나의 삶을 되돌아보게 되었다. 무언가 채워지지 않은 인생의 허무함을 느끼는 순간이었다.

어디선가 읽었던 아잔 차 스님의 명언이 생각이 나서 적어본다.

"두 가지 고통이 있습니다. 피하려고 해서 늘 따라다니는 고통이 있고, 직면해서 자유로워지는 고통이 있습니다."

어차피 고통이 따라다닌다면 직면해서 자유로워지는 고통을 선택하기 위해 용기를 내어 개인의 삶의 일부분이지만 수많은 시련과 고통을 참으면서 이겨냈던 나의 삶을 허심탄회하게 이야기를 하고자 이 글을 쓰게 되었다.

이 글을 쓰기까지 많은 것을 보여주고 경험하면서 혜안으로 삶의 지혜를 깨닫게 해 주신 부처님께 감사드린다.

지난 시간을 돌이켜보면서 잠시 스쳐간 인연이었지만 부처님 법을 만날 수 있게 도와주신 모든 스님들과 도반들에게도 감사의 말을 전하고 싶다.

그리고 보현행자 결사 근본도량 보현선원과 인연이 되어 기도할 수 있게 해준 모든 이들에게 감사하고, 항상 내 곁에 머무르면서 올바른 선택으로 정법을 만날 수 있게 이끌어주고 방황을 멈출 수 있게 해주신 대자대비하신 관세음보살님께 감사드린다.

인연이 무르익지 않아서 10년이란 세월이 흘러 먼 길을 돌아서 시절의 때를 만나 시절인연으로 다시 만나 참불자로 거듭날 수 있게 이끌어주신 보현선원에 계신 회주 성관큰스님의 더할 나위 없는 최고의 법문을 들을 수 있어서 행복하다는 것을 이 글로써 답변하며 감사드리고 싶다. 지극정성으로 기도하며 언제나 한결같은 한주 정명스님께 감사드리고, 청정도량으로 빛날 수 있고 작은 불씨라도 꺼지지 않게 경전을 가르쳐주시고 기도해 주시는 주지 지견스님과 사부대중 스님들께도 감사드린다.

김 선영

차례

제 1 장 꿈으로의 초대

꿈에 나타난 시아버지

1년 후 분가해 주겠다는 시어머님의 말씀에 나의 신혼 생활은 시골집에서 시작되었다.

먼저 가족을 소개하자면 시아버지 형제는 6남 2녀이고, 시어머님 형제는 2남 4녀이시다.

한 동네에 큰아버지, 큰어머니, 둘째 큰어머니, 셋째 큰아버지, 다섯째 큰어머니, 큰 외삼촌, 큰 외숙모, 작은 외삼촌, 외숙모님, 그리고 옆 동네에 큰 이모님, 둘째 이모님, 고모님도 가까이서 살고 계셨다.

신혼여행을 다녀온 후 시댁에 도착하자마자 큰어머님이 기다리고 계셨다. 조카며느리인 나를 빨리 보고 싶어서 일찍 오셔서 기다렸다고 했다. 시어머님은 먼저 큰어머니께 큰절을 올리라고 하셔서 절을 한 후 앉자마자 큰어머님이 내 손을 꼭 잡고서 고맙다고 하시며 눈물을 글썽거리시면서 닦으시는 모습을 보고 시어머니께서 자초지종 설명해 주셨다. 예전에는 생활 형편도 어려웠고 둘째인 시누이가 연년생으로 태어나면서 키우기 힘들어 큰 어머님이 남편을 데리고 가서 어렸을 때부터 중학교 다닐 때까지 큰댁에서 아들처럼 키워주셨다고 말씀하셨다. 큰어머니는 딸만 일곱 낳으셨고 내리사랑이란 말이 있듯이 저희 시아버님은 늦둥이로 큰댁 조카들이랑 같이 자랐고 아들처럼 생각했던 막내 시동생이 첫 아들을 낳아서 당신 자식처럼 엄청 기뻐하셨다고 한다.

나는 큰어머니 사랑을 받으면서 시골에서의 신혼생활이었지만 무척 행복했다. 얼마 후 임신했다는 소식을 듣고 큰어머님은 내려오셔서 내 손을 잡으시며 꼭 아들 낳으라고 당부하셨고 매일같이 맛있는 음식과 과일을 사다 주셨다. 반면에 둘째 큰어머니는 엄격한 분이라서 예의범절에 어긋나는 행동을 하면 그 자리에서 바로 야단치셨다.

어느 날 둘째 큰어머니께서 오셔서 식사를 하고 나가시는 것을 보고 현관문 앞에서 '조심해서 올라가세요. 인사를 했더니 화난 표정을 지으시면서 어른이 가시는데 대문 밖까지 배웅해야지 현관 앞에서 인사를 하냐고 호통을 치셨다. 그 이후로 나는 친척 어르신들이 오시면 대문 밖까지 배웅하면서 인사를 드렸고 덕분에 집안 친척분들이나 동네 어르신들에게까지 칭찬받는 며느리가 되었다.

두 시동생들과 시누이는 순수했고 특히 큰 시동생은 나이가 동갑내기이지만 평소에는 순진해서 말이 없다가도 술 한 잔만 먹으면 '형수님으로 와 주셔서 고마워요. 사랑해요' 하며 꼭 안아주면서 노래도 불러주고 항상 웃음이 가득한 행복한 가족이었다.

6개월이 지나 시어머님이 분가를 시켜주셔서 분가를 했지만 논농사 밭농사가 많아 세 아들들이 모여서 농사일을 도와드렸고 나는 시어머님이 좋아하시는 삼겹살과 닭을 사다가 음식을 만들어 온 가족이 모여 즐겁게 먹으면서 일을 마치고 수원 집으로 돌아오는 것이 일상이었다. 그리고 시아버님은 막내셨지만 일찍 돌아가셔서 결혼 후 6개월이 지나 1년 제사를 모시게 되었다.

명절 때에는 큰댁에 며느리가 없어서 제사만 지내고 둘째 큰아버지, 셋째 큰어머니, 다섯째 큰아버지 차례대로 제사를 지내고서 막내인 시아버님 제사를 끝으로 지내고 온 가족이 모여서 식사를 하고 가셨는데 사촌 시댁 아주버님과 조카들이 모이면 60명이 넘었다.

사촌 형님이 되는 동서들은 오지 않아서 시어머니와 나

는 많은 음식을 만들어 대접했다.

이듬해 중학교 교사인 시누이가 결혼한다고 해서 시어머니와 혼수를 준비하여 결혼식을 올려주었고 나는 딸만 셋을 낳았어도 행복하게 살고 있었다. 7년이 지난 후에 큰 시동생이 결혼해서 동서를 맞이하게 되면서 큰조카가 태어났는데 아들이었다. 시어머님은 딸만 셋을 낳은 나를 외면한 채 엄청 기뻐하셨고 조금은 서운했지만 큰며느리이기에 참고 살아야 했다.

1년 후 나도 아들을 낳아 시어머니는 기뻐하시며 병원비도 내어주셨고 아들 삼형제는 회사를 다니면서 주말이면 시골에 내려와서 농사일을 도와주며 우리 가족은 행복하게 살고 있었다. 2년 후 막내 시동생도 결혼하게 되어 막내 동서도 맞이했는데 이때까지만 해도 영원히 행복한 가족이 될 것이라고 생각했었다.

일 년이 지난 후 시어머니 환갑을 해 드렸는데 뷔페 음식이 싫다고 하시기에 나 홀로 직접 시장에 가서 장을 보았다. 일주일 동안 준비하여 음식을 만들어 차에다 싣고 시골집으로 내려갔다. 국수와 전은 시골집에서 만들어 동네 분들하고 친척들을 초대하여 대접해 드렸다. 그 당시 아래동서는 조카가 어리다는 핑계로 할 수 없다고 하고 막내 동서는 임신을 해서 힘들어서 못하겠다고 해서 딸 셋에 2살밖에 안 된 아들을 두고 나 홀로 준비해야만 했었다. 그 당시만 해도 맏며느리기에 당연히 해 드려야만 한다는 마음으로 했다.

딸만 셋 낳은 내가 아들 욕심을 내고 낳은 것도 큰어머니 때문이기도 하다. 큰어머님은 노안으로 장님이 되셨는데도 꼭 아들을 낳는 것이 소원이라고 항상 나에게 당부하셨다. 연세가 워낙 많으셔서 귀까지 안 들리고 다리가 아파 방에서 나오시질 못하게 되어 큰아버님의 수발을 받으면서 살고 계셨다.

아들을 낳고 한 달이 지난 후 큰어머니를 찾아가 아들을 품에 안겨 드렸더니 듣지도 볼 수 없는데도 '영규 아들이지' 하시면서 '이제 소원 풀었어. 고맙다. 아가야' 하시면서 눈물을 흘리셨고 나도 큰어머니 소원을 들어드려서 기쁨의 눈물이 났었다.

얼마 후 큰어머니 손과 발이 되어 보살펴 주시던 큰아버지께서 갑자기 아프다고 하시더니 며칠 만에 98세 나이로 돌아가셨고 일주일 후 큰어머니께서도 95세 나이로 뒤이어 돌아가시게 되었다. 두 분은 살아생전 금실이 워낙 좋으신 잉꼬부부여서 그랬는지 큰어머님은 큰아버지를 먼저 보내시고 뒤따라가셨다고 사촌시누님들이 말했다. 나에게도 큰어머니 소원을 풀어주어 고맙다고 하면서 사촌시누님들과 큰어머님의 사랑을 받으며 살았었다.

4남매를 모두 결혼시켜서 더 이상 소원이 없을 정도로 행복하다고 하시던 시어머니를 모시고 두 동서들과 사이좋게 지내면서 한평생 행복하게 효도하면서 살 것이라고 생각하였기에 조금도 의심하지 않았다.

친구들도 부러워할 정도로 행복했던 시간, 맏며느리 잘 들어왔다고 동네 사람들과 친척들에게도 사랑을 받으며 홀로 되신 시어머니께 효도하면서 살겠다고 마음먹고 평범한 가정주부로 4남매를 둔 엄마이자 사랑받는 아내로 행복하게 살고 있었다.

10년이 지난 어느 날...

서로 아껴주고 행복했던 가정이 서서히 무너지기 시작했다.

형제들끼리 의견충돌로 말싸움이 점점 커지고 한집안이 쑥대밭이 되면서 나의 가정과 영원히 행복하리라고 생각했던 나의 삶에 고통이 시작되었다.

그러던 어느 날 밤에 돌아가신 시아버지 산소에서 물이

흐르는 꿈을 꾸었다.

아침 일찍 일어나서 시골에 계신 시어머니께 전화를 해서 꿈꾼 이야기를 들려드리고 산소에 다녀오시라고 말씀드렸다. 산소를 둘러보고 오신 어머님은 괜찮다고 하시면서 걱정하지 말거라 하셨기에 나는 다행이구나! 하고 안심하면서 잊고 있었다.

그 순간부터 나에게 닥쳐올 운명의 수레바퀴가 돌고 있음을 알아차리지 못했고. 순탄하게 살던 내 삶이 하루아침에 물거품이 되리라고는 상상도 하지 못했다.

누구나 한 번쯤은 꿈을 꾼 적이 있을 것이다. 꿈을 꾸고 나면 기분이 좋은 꿈도 있고 왠지 나쁜 꿈이라고 생각할 때도 있다. 흔히 대다수 사람들은 꿈에 연연하지 않고 단순하게 생각하며 살아가고 있다.

살아생전 뵙지 못한 시아버지의 산소가 왜 꿈에 나타났을까?

나에게 어떤 것을 알려주려고 했는지 왠지 기분은 별로 좋지 않았지만 꿈에 집착하지 않고 무심하게 잊어버리고 살았다. 이때까지만 해도 나는 미신이나 믿음이니 하는 종교의식에 관심이 없었다. 타인에게 아쉬움이나 부탁하는 것을 좋아하지 않았고 오로지 정직하게 열심히 살면 되는 줄 알았다. 누군가와 함께하는 삶이 행복이라는 것을 모르고 있었다.

회오리바람이 닥치다

며칠이 지났을까? 갑자기 집안에 회오리바람처럼 우환이 들끓기 시작했다.

막내 시동생과 의견 충돌이 일어나면서 시어머니와 갈등이 심해지고, 항상 술 한 잔 마시면 "형수님 사랑해요" 하면서 안아주고 노래도 불러주던 큰 시동생과 시누이조차도 냉정해지면서 하루아침에 외톨이가 되었다.

남편도 성실하게 잘 다니던 회사를 그만두면서 싸움이 잦아지고 집에도 들어오지 않고 방황하기 시작했다. 예전에는 맏며느리이기 보다 맏딸처럼 다정한 고부 사이였고 큰아버지, 큰어머니, 외삼촌, 이모님들 사랑을 받으면서 행복했었다.

그런데 마른하늘에 날벼락 맞은 것처럼 두 동서들조차 외면했고 나는 이방인이 되었다.

믿고 살던 남편조차도 어린아이들과 아내인 나를 외면하면서 매일같이 술만 먹고 밖으로만 맴돌았고 가정살림은 돈이 없어 카드 빚만 늘어갔다.

막내아들은 3살이었고 딸 셋도 아직 어려서 돌봐주어야 하기 때문에 일할 수가 없어서 결국은 어마어마하게 늘어난 빚을 갚기 위해 분양 받은 아파트를 팔아서 카드 빚 갚고 생활비로 쓰다보니까 한순간에 날아가 버렸다. 더 이상 견딜 수가 없어서 시어머님께 도와달라고 했더니 아주 차갑게 외면하셨다.

10년 만에 처음으로 도와달라고 했는데 냉정하게 거절하였고 나중에 안 사실이지만 그동안 막내시동생은 어머니 도움으로 살고 있었다.

그 사실을 안 나는 남편한테 말했고 오히려 화를 내면서 어머니가 하시는 일에 왜 며느리가 나서냐며 큰소리 치면서 나갔고, 나는 화가 나서 어머니께 전화를 해서 장남은 왜 안 도와주냐고 했더니 너희들은 알아서 잘 사니까 걱정을 안 하셨다고 했다.

전화를 끊고 곰곰이 생각해 보니 나는 그동안 궂은 일만 하는 맏며느리였고, 두 동서들은 어머니한테 도움 받으면서 살고 있었다는 것에 대한 분노가 생겨 남편한테 따지면서 말하다가 싸움은 점점 커지고 남편은 오히려 어머니께 전화했다는 이유 하나로 이혼하자고 하면서 집을 나가버렸다. 그 이후로 몇 개월 동안 남편은 집에 들어오지 않아서 생활고에 시달린 나는 스트레스로 인한 우울증에 시달려 죽고 싶은 마음에 차도로 뛰어 들어가다가 의식을 잃었다. 깨어나 보니 병원이었다. 이틀 동안 의식을 잃은 채 깨어나지 못했고, 차가 다니는 도로 한복판에 의식을 잃은 나를 경찰차가 와서 병원으로 옮겼다고 친정어머니가 말씀해 주셨다. 친정어머니가 걱정하실까봐 아무 말도 못하고 울고만 있는 나에게 힘들면 말을 해야지 왜 참고 살았냐고 화를 내시면서 같이 울고 계셨다.

남편은 병실에 들어오지도 못하고 밖에서만 있다가 그냥 돌아가 버렸다.

그 순간 나는 더 이상 삶의 의미가 없다는 생각을 하게 되면서 이대로 죽지 않고 왜 살았는지 원망스러웠고 아무도 모르는 곳에 가서 죽을 생각으로 친정어머니 몰래 카드로 병원비를 내고 무조건 아무 버스나 타고 가다가, 바닷가로 가고 싶다는 생각을 하면서 기차를 탔고, 한참을 가다 정동진역이라는 안내 방송을 듣고는 내렸다.

한적한 시골 바닷가가 보였고 정동진역을 나오다 보니까 인기드라마 "모래시계" 촬영 장소였고 주인공이었던 고현정의 소나무라는 푯말도 눈에 띄었다.

TV인기드라마에서만 보던 장소를 내가 와 있다는 것을 느끼면서 바닷가로 향했다.

구두를 신은 채 모래를 밟으면서 서서히 걷고 있는데 젊은 연인들이 팔짱을 끼고 걸으면서 활짝 웃으며 행복해 하는 모습이 보였다.

행복하게 살던 지난 기억들이 영화필름이 돌아가듯이 스쳐갔다.

10여 년을 한집안의 맏며느리였던 내가 한순간에 외톨이가 되었다는 것이 믿을 수가 없었다.

결혼할 당시만 해도 큰 시동생은 “형수가 되어 주어서 고맙습니다. 사랑해요.” 하면서 축가로 그 시절에 유행했던 태진아 가수의 노래 옥경이를 부르면서 내 이름을 넣어 불러서 한바탕 웃음으로 하객들의 박수를 받으며 행복했던 결혼식이었다.

분가하기 전 6개월 동안 한집에 같이 살면서 추억도 많았다.

신혼여행 다녀와서 처음으로 밥상을 차렸는데도 무조건 맛있다고 먹어준 시동생들과 시누이는 내편이었고 시어머니와 남편은 무언가 맛이 이상하다고 하면서도 처음이니까 먹을 만하다고 하면서 맛있게 먹어 주었었다.

그리고 일주일이 지나도 두 시동생 속옷이 빨래를 할 때마다 안 보인다고 시어머니께 말씀드렸더니 장롱서랍에서 꺼내어 직접 빨래를 하셨다. 저녁을 먹으면서 두 시동생들은 형수한테 속옷을 내놓기가 부끄러웠다고 해서 온 가족이 한바탕 웃었고 앞으로 시동생 속옷은 시누이가 하기로 했던 추억 속의 기억도 생생하다.

한 달이 지난 후 집들이할 때 친구들이 왔는데도 부끄럽다고 방에서 나오질 않아서 친구들이 장난으로 놀리니까 얼굴이 빨개지면서 어쩔 줄 몰라 했던 순진한 시동생들이었다. 큰 시동생은 동갑내기라서 친구들을 보고 더 많이 부끄러워하기도 했었다.

얼마 후 시어머니께서 생닭을 사가지고 와 백숙을 끓이라고 해서 깨끗하게 씻어 마늘과 물을 넣어 끓였다. 나는 백숙을 좋아하지 않아 맛도 안 보고 푹 끓여서 소금과 후추를 밥상 위에 올려놓고 취향대로 넣어 드시라고 했다. 온 가족이 둘러앉아 먹으면서 이상한 맛이 난다고 했다. 그래서 닭을 씻는데 똥집이 3개가 있어서 같이 끓였다고 하니까, 온 가족이 한바탕 웃었다. 남편은 혹시 똥집 씻을 때 노란 껍질을 벗겼냐고 하기에 그냥 물로만 씻으면 되는 줄 알았다고 했더니 온 가족이 또다시 웃음보따리가 터진 것처럼 웃으면서도 형수가 처음 끓인 백숙 맛있다고 하면서 두 시동생은 내편이 되어 주었다.

그 이후로 몇 년 동안 온 가족이 백숙 먹을 때마다 놀렸지만 신혼 때 잊지 못할 추억으로 영원히 기억에 남아 있다.

요즈음은 핸드폰으로 검색만 하면 레시피가 다 나오지만 30년 전에는 인터넷이 보급되지 않아 혼자서 연습하고 모르면 시어머니와 친정어머니께 여쭤가며 배웠다. 다행히도 타고난 미각이 있어서 빠른 시간에 음식을 배워 만들었고 항상 큰 시동생은 형수가 만들어준 감자탕과 칼국수를 제일 맛있게 먹었다고 했었다.

그리고 돌아가신 시아버님은 막내라서 사촌 시아주버님들과 시누이들이랑 한 동네에서 같이 자랐고 나이가 많은 사촌아주버님들은 명절 때나 가족행사가 있어서 모이면 항상 우리 제수씨가 최고라고 칭찬을 했다. 우리 가족에게는 맏며느리이지만 시아버님은 8남매의 막내라서 큰아버지와 큰어머님들께 상냥하고 착한 막내 조카며느리가 들어왔다고 사랑을 받으며 살고 있었는데 한순간에 외톨이가 되면서 10여 년간의 삶이 물거품이 되어 버렸다.

꿈을 꾸는 것처럼 온 세상이 회색빛으로 가득했고 안개 속에 갇혀 헤매이듯이 내 마음은 갈 길을 잃었다.

왜! 나에게 이런 일이 일어났을까?

한 점 부끄럼 없는 삶을 살기 위해 가족을 사랑하며 열심히 살았다고 생각했는데 내가 무엇 때문에 외톨이가 되었는지 모른다.

하루아침에 뒤바뀐 나의 인생이 허무하다는 생각으로 도저히 잠을 잘 수 없게 되면서 불면증이 나타나고 차츰 우울증이 생겨나기 시작했다.

아무도 믿을 수 없게 되면서 세상 사람들과 소통하지 못한 채 혼자서 집안에 갇혀 살았다.

집 밖으로 나가는 것조차 두려웠고 창문조차도 열어놓지 못하고 커텐으로 가려버렸다.

남편과 가족들의 배신감으로 상처를 받아서 아이들조차 제대로 돌보지 않아 온 집안이 엉망이 되어버렸다.

그러던 어느 순간에 숨을 쉴 수 없을 정도로 답답한 마음에 밖으로 나가 길거리에서 헤매다 집으로 들어오기를 반복하다가 그만 길에서 의식을 잃었던 것이다.

그날 이후로 친구들하고도 인연을 끊을 정도로 아픈 상처를 내 마음속에 감추어 버렸다.

어느 누구도 믿지 못하고 나 홀로 일어서야만 했다.

남편과도 신뢰가 깨지면서 믿음이 사라지고 믿을 수 있는 것은 오직 나 자신뿐이었다.

내 인생은 나의 것이라는 노래가 있듯이 어느 누구도 남의 인생을 대신 살아줄 수는 없다.

흔히 그러하듯이 사람들은 자기 가정을 소중히 여기며 살고 있고 나도 똑같은 삶을 살기 위해 한 남자 아내이자 아이들 엄마로 그리고 한 가정의 맏며느리로 최선을 다해 열심히 살고 있었다. 물론 모든 사람들이 평탄한 삶을 살지 않고 살다 보면 고통과 시련을 만나도 잘 극복하며 살아가고 있다.

그러나 혼자서 아무리 노력해도 안 되는 삶이 있다는 것도 알았다. 온 가족이 마음과 마음으로 일치해야만 함께 극복할 수 있기 때문이다. 돌이켜 생각해 보니 나는 목적 없는 삶을 살아가고 있었고 그저 가족이라는 이유로 당연하듯이 살았을 뿐이었다.

가정을 지키기 위해 의무와 도리를 당연히 해야 된다는 생각만 했을 뿐 미래를 향한 계획도 꿈도 없이 하루살이 인생으로 살고 있었다.

석양의 노을과 일출을 보면서

젊은 연인들의 행복한 모습을 보는 순간 옛날이 그리웠다.

나도 매일같이 웃으면서 행복하게 살았었는데 뭐가 잘못 돼서 이렇게 쓸쓸하게 혼자 걷고 있을까? 생각하다가 바닷물 속으로 들어가고 있는데 지나가던 아저씨가 소리쳤다. '조심하세요. 파도가 갑자기 몰려오면 위험해요' 그 순간 깜짝 놀라 물속에서 뛰어나왔다. 정신을 차리고 보니 내 옷은 이미 젖어있었고 구두는 모래투성이가 되어 털고 있는데 마침 일몰하고 있는 모습이 보였다.

평소에는 일몰 생각하면 쓸쓸해 보일 줄만 알았는데 세상에 일몰하는 모습도 아름답다는 것을, 바다 저 멀리 끝자락에 붉은빛으로 물들이며 가라앉는 모습이 평온해 보였다.

마치 내 마음을 알고 위로해 주는 것처럼 하루 종일 누군가에게 빛이 되어 반짝이다가 서서히 바다를 물들이며 사라지는 모습은 쓸쓸해 보이면서도 아름다웠다.

석양 노을의 아름다움에 감탄하면서 외톨이가 되었다는 자존심 때문에 삶을 포기하겠다는 마음을 먹었던 나 자신을 바라보며 후회의 눈물이 흐르기 시작했다. 그 순간 아이들의 얼굴이 하나하나 떠오르기 시작하였고 하염없이 흐르는 눈물과 아픈 마음을 통곡하듯이 소리 내어 울었다.

과연 석양 노을은 나에게 어떤 얘기를 하고 싶었을까?

해는 지고 땅거미가 내려앉아 어둠이 밀려와 민박집에 숙소를 정해놓고 방에 들어가 눕자마자 피곤해서인지 잠에 푹 빠져 버렸다. 깨어나 눈을 떠보니 새벽 4시가 넘었다.

일어나서 바닷가로 다시 나가 걷고 있는데 저 바다 끝에서 서서히 붉은빛으로 떠오르는 태양이 보이기 시작했고 일출하는 모습은 말로 표현할 수 없을 정도로 더욱더 아름다웠다.

어느새 이글거리며 솟아오르더니 금빛 찬란한 빛을 보이며 반짝이는 모습으로 내 눈앞에서 떠오르고 있지 않은가? 손만 뻗으면 닿을 것 같이 내 머리 위에서 웅장한 모습으로 멈춘 것 같이 보일 정도였다.

석양 노을은 평온함으로 상처 입은 마음을 위로해 주었고, 태양은 마치 아이들에게 빛이 되어 아름답게 살아야 한다는 용기를 북돋아 주는 것처럼 느껴졌다.

하늘 위에 당당하게 우뚝 떠 있는 태양은 나에게 무언가를 속삭이듯 강렬한 빛으로 내 앞에서 반짝이고 있었다.

얼마나 지났는지 하염없이 흐르던 눈물은 멈추고 또다시 아이들 얼굴이 떠오르기 시작했다.

재롱떨면서 애교 많은 딸들과 이제 4살밖에 안 된 아들 얼굴이 보이면서 눈물이 흘렀고 더 이상 참지 못해 바닷가에서 큰소리로 한참 울다가 정신 차리고 보니 지나가던 사람들이 쳐다보고 있었다.

그 순간 나는 이를 악물었다.

아이들을 위해서 어떻게든 살아야겠다는 결심을 하고 민박 숙소로 돌아와 방에 누웠다가 또다시 잠이 들었다 깨어나 보니 밥상이 놓여 있었다.

시골 바닷가여서인지 반찬은 많지 않았지만 하얀 쌀밥에 미역국이 보였다. 그동안 나는 밥도 제대로 못 먹어서 미역국을 맛있게 먹었다. 잠시 후 주인아주머니가 방에만 있지 말고 바람 쐬고 구경 다녀오라면서 이곳에 유명한 MBC드라마 '보고 또 보고' 촬영장이 있고 기차를 타고 삼척에 가면 '환선굴' 이라는 동굴이 있다고 소개해주었다.

다음 날 아침 '보고 또 보고' 촬영장을 둘러보러 올라갔더니 젊은 연인들, 가족들과 함께 온 사람들, 단체관광으로 온 사람들, 수많은 사람들 속에 나는 혼자였지만 어디서 나온 용기인지 당당하게 구경하고 기차카페에 가서 토스트와 커피도 사 먹었다. 다음 날 아침 기차 타고 삼척역에 내려 '환선굴'로 향했다. 구경 온 사람들 따라 올라가는데 너무나도 아름다운 눈꽃이 보였다. 나무마다 눈꽃으로 덮여 있는 설경의 아름다움을 감상하며 걷고 있는데 다리와 허리가 아팠지만 참으면서 그 높은 곳으로 향했다. 너무 가파르고 높아서 아찔했지만 포기하지 않고 환선굴 앞에 도착했다. 동굴 속이 엄청 크고 고드름으로 덮여 있었다. 고드름하면 처마 밑에 매달려 있는 줄만 알았었는데 동굴 속 바닥에서 거꾸로 고드름이 솟아 있는 광경을 처음 보고 놀랐다.

입구에서 동굴 안내하시는 분이 동굴이 생긴 유래를 설명해주면서 위험한 곳에 가지 말라는 안내를 받으며 나왔는데 지금은 거꾸로 솟은 고드름만 기억에 남아있다.

다음 날은 바닷가로 나가서 모래 위에 아이들 이름을 쓰면서 "사랑해" 라고 낙서도 해보고 바위 위에 올라가서 소리도 질러보며 스트레스를 풀고 민박집에 돌아와 보니 주인아주머니께서 커피 한잔 타주면서 이제 아이들한테 돌아가라고 말씀하셨다.

주인아주머니는 처음 온 날부터 아무것도 묻지 않았고, 일주일 동안 밥을 제대로 못 먹었으리라 생각했는지 밥상을 차려주었고 마지막으로 커피를 타 주셨다.

지금 이 글을 쓰면서 생각해 보니 아주머니께서 하얀 쌀밥에 미역국을 끓여주신 이유가 아기를 낳았을 때 미역국 먹고 젖 먹이던 힘으로 살아가라는 뜻이었다는 것을 짐작할 수 있었다. 비록 촌스럽고 시골 바닷가 사람이지만 지혜가 넘치는 현명한 아주머니였다.

아이들을 위해서 용기를 내어 일주일 만에 오산 집으로 돌아와 보니 우리 가족이 살던 전셋집은 없어지고 아이들은 시골집에 가 있었다. 내가 없는 사이에 시어머니와 친정어머니가 큰 싸움을 하면서 이삿짐을 싸서 시골집으로 보냈던 것이다. 남편은 아이들을 돌보지 않고 밖으로 떠돌아다니면서 술만 먹으며 방황하고 있었고 시댁에서 왕따가 되어버린 나는 아이들을 데리고 오기 위해서 돈을 벌어야만 했기에 숙식 제공할 수 있는 한식집에 취직했다.

한 달 동안 말없이 열심히 일만 하고 있었는데 어느 날 점심을 먹으면서 찬모아주머니가 아들을 잃어 힘들었다는 이야기를 해 주었다.

아들 둘을 낳아 행복하게 살고 있었는데 둘째 아들이 박사학위 받고 큰 회사에 취직하자마자 교통사고로 죽었다고 한다. 몇 년 동안 아들이 나타나 울고 가는 꿈을 꾸게 되면서 우울증에 시달리며 살아왔고, 어느 날 아파트 창문에서 떨어져 죽을 고비도 넘겼다고 한다. 그 이후로 방에서 한 발자국도 나오질 못해 갇혀 살았다고 하면서 힘들게 일을 하면 잠시라도 잊어버릴 수 있다는 친구와 주변 사람들의 얘기를 듣고 일을 시작했다면서 사람들과 어울리며 조금씩 나아지고 있는 중이라면서 눈물을 글썽거렸다. 아직도 가끔 꿈에 보인다고 하면서 가방 속에 아들 사진을 꺼내어 보여주었다. “사각모를 쓴 아들이 잘 생겼네요.”라고 말했더니 웃으며 효자아들이었는데 갑자기 떠났다고 하면서 또다시 눈물을 흘렸다.

이 세상에 자식 잃고 가슴에 묻고 사는 부모보다 더

깊은 상처를 안고 사는 사람은 없을 것이다. 나의 상처는 비교할 수 없기에 아무 말도 못했다.

하루하루 바쁘게 일하면서 지내다 보니 어느덧 상처 입은 마음은 조금씩 안정되어 가고 있었고 슬픔조차도 어느 순간 사라져 버렸다. 첫 월급을 받고 아이들이 보고 싶어서 시골집으로 내려갔지만 방 한 칸도 없이 아이들을 돌볼 수가 없어 눈물을 삼키며 혼자 돌아올 수밖에 없는 무능력한 나 자신을 원망하면서 아이들과 다시 만나 살기 위해 하루도 쉬지 않고 일하며 월급을 몽땅 저축하였다. 같이 일하는 동료 직원은 나의 가정사를 모르기 때문에 또순이처럼 살지 말고 즐기며 살라고 했지만 내 마음속에는 아이들 생각으로 자리 잡고 있었기에 같이 살 수 있는 날을 손꼽으면서 아무리 힘들어도 참고 버티면서 열심히 일했다.

말없이 일만 하는 모습을 보며 사장님은 칭찬해 주셨고 손님들도 친절하게 해 줘서 고맙다고 봉사료까지 주면서 칭찬을 많이 해 주었다.

처음으로 일할 때는 어색하고 서툴렀지만 어느 새 한 달이 지나고 석 달이 되고 나니 나름대로 많은 것을 배우며 언젠가는 나도 이런 가게를 운영해 보겠다는 마음으로 더욱더 열심히 일하며 배웠다.

부잣집이 아닌 평범한 시골에서 태어났어도 고생이라고는 모르고 살아왔다. 태어나자마자 잔병치레가 많아 1년 동안 죽을 고비를 넘겼지만 온 가족의 사랑을 받으며 여자아이는 따뜻하게 키워야 한다며 안방으로 데려가 할머니 품속에서 자랐다고 한다. 그 시절에는 먹을 음식이 풍족하지 않아 동네잔치나 제삿날이면 동네 아이들이 줄서서 얻어먹을 정도로 어려웠던 시절이었지만 할머니, 할아버지, 아버지는 맛있는 음식만 있으면 나만 챙겨 먹일 정도로 사랑을 독차지하며 자랐던 것 같다.

농사를 지어야만 먹고 살 수 있는 시골이어서 친구들은 학교에 갔다 오면 농사일을 도와야만 했지만 나의 부모님은 공부만 하라고 하였고 내가 도울 수 있는 일은 집안 청소뿐이었다.

농촌에서 자란 친구들은 항상 햇볕에 그을린 검은 얼굴이지만 내 얼굴은 도시 아이들처럼 하얀 얼굴이어서 친구들이 부러워했다. 아버지는 농사를 지으시며 농장에서 일했고, 어머니는 옷 장사를 하셨기에 친구들은 검정고무신을 신었지만 나는 예쁜 원피스와 빨간 구두를 신으며 호강하면서 자랐던 것 같다. 중학교 입학해서 부모님의 빚보증으로 가정형편이 어려워지면서 대학공부는 포기했지만 대우그룹 계열사인 대우정밀 총무과에 취직하게 되어 회사에서도 일을 잘한다고 과장님과 이사님의 칭찬을 받았다. 친구들이 부러워할 정도로 매사에 자신감으로 가득 찬 삶을 살아왔기에 마음고생이라고는 모르고 살던 내가 처음으로 험한 세상 밖으로 나오기 시작했고 누구의 도움도 없는 홀로서기인 것이다.

이미 나는 홀로서기 삶을 살기 위해 남들이 부러워하는 회사도 그만두고 서울로 상경했던 것이다. 그러나 진정한 나를 바로보지 못하고 쉽게 포기한 삶이 결국에는 또다시 홀로서기를 위한 준비 과정이었다. 내 자신만 몰랐을 뿐 보이지 않는 무언가가 나를 세상 밖으로 끌어내기 위해 온갖 시련이라는 고통 속에 머물게 한 것이다.

항상 꿈을 이루고자 하는 야망은 컸으나 소심한 성격과 끈기가 부족하고 용기가 없었기 때문이다. 실패의 두려움이 먼저 앞서 항상 쉽게 포기했었다. 나약했던 나의 마음을 강하게 살아가라는 뜻이었을까?

다시 한번 이를 악물고

몇 달 후 셋째 딸이 외할머니한테 엄마하고 살고 싶다고 울며 전화를 하게 되면서 인정이 많은 친정어머니가 차마 뿌리치지 못하고 보내라고 했더니 시어머니는 아이들을 키울 수 없다고 택시에 아이들만 태워서 보냈다. 친손자, 친손녀들인데 아무 감정도 없이 어른이 아이들을 데리고 와서 부탁하는 것이 당연한 것인데도 미안하다는 말도 없이 어린 아이들만 택시 태워 보낼 수 있을까?

나는 화가 나서 남편한테 가족을 책임지지 못할 것 같으면 이혼하자고 해서 결국 이혼하고, 친정어머니께 2칸짜리 방을 구할 때까지 부탁해서 한동안 친정어머니가 돌봐주시고, 나는 소형자가용을 구입하여 출퇴근 하면서 돈을 모았다.

제일 먼저 일했던 한식집은 초보자 월급이 90만 원밖에 안 되었다. 아이들을 키우기 위해 더 많은 돈을 벌어야 하기 때문에 경력자로 월급을 더 받을 수 있다는 한식집으로 가서 면접을 보고 120만 원을 받을 수 있어서 옮겼다.

수원에서 유명한 한식집이라 매니저와 지배인도 있고 카운터를 맡아서 보는 직원도 따로 있어 규모가 커 보였다. 주방에는 실장과 육부장, 냉면장, 찬모, 보조찬모, 설거지하는 직원도 있다. 총 직원이 25명이었다. 비록 홀써빙으로 일했지만 나도 언젠가는 규모가 큰 한식집을 운영해 보고 싶다는 생각을 했다. 그리고 사장님은 항상 직원들에게 반말을 하지 않고 존칭어를 쓰고 겸손하기까지 했다. 직원들에게 일을 시킬 때도 명령어를 사용하지 않고 부탁한다는 말을 많이 사용했다. 처음에 면접볼 때도 존칭어를 써서 당황했었고 돈 많은 사장님이 존댓말을 한다는 것이 믿을 수가 없을 정도로 퇴근할 때도 항상 웃으시며 수고했어요, 내일 뵙겠습니다, 하고 직원들에게 인사를 건넸다. 가끔 손님들이 젊은 사장이 어떻게 해서 큰 식당을 운영하게 되었냐고 물으면 항상 부모님을 잘 만나서 상속받은 것입니다 하고 겸손하게 말을 하였다. 부자로 태어났으면서도 겸손까지 갖춘 사장님을 보면서 많은 것을 배우며 1년 동안 열심히 일했다. 그런데 7년을 근무한 지배인이 사장님 모르게 홀 팀장 언니

하고 아무도 모르게 단체 손님을 받을 때마다 생갈비를 빼돌리다가 들켜버렸다. 그날은 단체 손님이 생각보다 금액이 많이 나왔다고 따지게 되면서 사건이 터졌다. 사장님은 손님에게 죄송하다고 하면서 음식값을 절반만 받고 퇴근할 때 직원들을 불러서 회의를 하고 가방을 하나하나 조사했다. 차를 가지고 다니는 직원들 차량도 확인했다. 그런데 지배인이 출퇴근시켜주는 봉고차 안에 생갈비 10인분이 비닐봉지에 싸여있었던 것이다. 사장님은 화가 나서 그 자리에서 지배인을 해고했고 퇴직금을 받지 않는 조건으로 경찰에는 신고하지 않고 끝냈다. 직원들에게도 큰 가방 들고 다니지 말라고 지시하였고 갑자기 분위기가 바뀐 상태에서 일하기가 불편해 한 달이 지난 후 그만두겠다고 했더니 사장님은 다른 데 가서 일할 거면 그냥 있으라고 했다. 나름대로 성실하게 일하는 나를 인정해 주신 사장님께 고맙게 생각했지만 잠시 쉬고 싶었다. 나중에 다시 일하게 되면 찾아오라고 해서 감사하다고 말하고 그곳을 떠나왔다.

아이들을 키우기 위해서는 계속해서 쉴 수 없어 또다시 한식집에 취직을 했지만 그곳에서는 직원들이랑 어울리질 못했다.

술도 못 먹고 담배를 안 피운다는 이유였다. 사장님은 일 잘한다고 칭찬해 주셨지만 같이 일하는 직원들은 나를 못마땅하게 생각했다. 단체 손님을 받는 날이면 힘들다고 술 마시면서 일을 마무리하지 않고 담배를 피우기 위해서 모여 앉아 놀곤 했다. 나는 못 본 척하면서 내 할 일만 하면 된다고 생각하면서 열심히 일했다.

몇 개월이 지난 후 새로운 직원으로 나이 어린 아가씨가 들어왔는데 그 아이도 담배를 많이 피우는 아가씨였다. 나는 또다시 왕따가 되었다.

어느 날 나이 많은 언니가 다가오더니 같이 어울리지 않으면 그만두라고 소리치면서 텃새를 부렸지만 아이들을 위해서 참고 또 참으면서 말없이 내 할 일만 했다.

몇 달 동안 성실하게 일하는 내 모습을 보고 할머니이신 큰 사모님이 칭찬해 주니까 그때부터 질투심으로 더 막말을 하면서 괴롭혔다.

다음 날 출근했는데 나이 많이 먹은 언니가 다리를 꼬고 테이블에 앉아서 담배를 피우더니 빗자루를 내던지면서 같이 일 못 하니까 그만두라고 또다시 소리쳤다. 더 이상 참을 수가 없어 큰 사모님께 그만두겠다고 말했더니 그냥 무시하면서 일하라고 했지만 도저히 어울릴 수 없다고 뿌리치면서 그만두고 나와 버렸다.

하늘을 쳐다보며 술, 담배 못한다는 이유로 왕따를 당하다니 어이가 없고 세상 살아가기가 이렇게 힘들다는 것을 뼈저리게 느꼈다.

며칠 후 그 한식집에서 일하던 실장님한테 전화가 왔다. 새로 오픈하는 가게가 있는데 매니저로 갈 수 있냐면서 성실하게 일하는 모습 보고 소개해주고 싶다고 하였다.

하늘이 무너져도 솟아날 구멍이 있다는 말이 있듯이 나는 한식집에서 일한 지 1년 8개월 만에 매니저가 되었다.

열심히 일하는 모습을 보고 실장님이 요식업협회 부회장이 가든을 오픈하는데 매니저로 소개해 주어서 월급도 더 많이 받게 되었다.

매니저로 일하게 되면서 나도 모르게 그 전에 일했던 유명한 한식집을 운영하면서 겸손하고 모든 이들에게 존칭어를 쓰는 사장님에게서 배운 대로 손님들에게 친절하게 했더니 칭찬해 주는 손님들이 많아지면서 봉사료도 많이 받게 되어 직원들과 똑같이 나누어 주며 즐거운 마음으로 일했다. 물론 사장님도 오픈하여 손님들이 많이 늘어나면서 장사가 잘 되어 무척 좋아하셨다.

평소에는 직원들과도 잘 어울렸지만 나의 단점인 술을 못하는 것 때문에 분위기 깬다고 해서 나만 빼고 모여서 술을 먹으며 놀러 다녔다. 나는 아무렇지 않게 생각하며 몇 분이라도 깨어있는 아이들 얼굴을 보기 위해 칼 퇴근하였다. 아무에게도 나의 속마음을 열지 않고 일만 했기 때문에 나의 가족사를 모르는 직원들은 도대체 술도 못 먹고 놀지도 않고 무슨 재미로 사냐고 물었지만 아무 말도 못하고 웃음으로만 대답했다. 한식집에서 일하며 매니저가 되었고 2년 동안 알뜰하게 모은 돈으로 방 2칸짜리 전세를 얻어 아이들하고 함께 살게 되었다.

아이들은 엄마하고 같이 산다고 좋아하면서 씩씩하게 잘 자랐다. 딸들은 설거지와 빨래를 정리해주며 도와주었지만 아이들 네 명 키우는 일은 만만치 않았다. 퇴근시간이 늦기 때문에 집안 살림하고 아이들을 돌보기가 힘들었다. 매일 시간에 쫓겨 제대로 잠을 편하게 잘 수 없을 정도로 피곤한 상태로 출퇴근하면서 반복된 생활에 서서히 지쳐갔다.

수원에 있는 요식업계에 한식실장님 모임이 있는데 그 모임에서도 인정을 받는 매니저로 알려지면서 새로 오픈하는 한식집에 매니저로 추천을 받고 월급도 더 많이 받을 수 있었지만 작은 가게라도 계약하여 아이들을 가까이서 돌보며 장사를 해야겠다는 마음을 먹고 매니저를 그만두었다.

나름대로 열심히 살다 보니 평범한 홀써빙에서 매니저로 일할 수 있는 것도 작은 성공이며 행운이었다. 그러나 나는 만족하지 않았다. 항상 내 안의 무언가가 더 앞으로 나가라고 등 떠밀듯이 밀고 있었다. 하나를 손에 쥐면 그것으로 만족하지 못하고 또 다른 무언가를 찾기 위해 내 마음이 먼저 앞서고 있었다. 그러나 현실을 부정할 수 없기에 아이들하고 살기 위한 몸부림으로 장사를 선택해야만 했다.

앞으로 어떤 미래가 펼쳐질지 모르지만 네 아이의 엄마로서 최선을 다해 열심히 살겠다는 평범한 일상으로 돌아갔다.

칼국수 집에서의 인연

한식집 매니저로 일하면서 아이들 돌보기는 무척 힘들었다.

아침이면 잠든 아이들을 깨워 밥 먹이고 머리 묶어주고 옷 입혀서 학교 보내고, 집안 청소도 대충 하고 출근하기 바쁘고, 밤늦게 퇴근해서 집에 들어오면 아이들은 잠을 자고 있어서 얼굴도 제대로 못 보고, 세탁기에 빨래를 돌리면서 설거지와 집안 청소를 하고 나면 새벽 1시가 넘어야 잠을 잤다. 새벽 5시에 일어나 아침 준비하고 아이들 깨우면서 살기가 너무 힘들어 담보로 대출금이 남아 있는 땅을(양육비로 받았던 땅을) 팔아 대출금 갚고 남은 돈으로 장사를 하면 아이들하고 가까이 있어 돌보기가 좋을 것 같았다.

매니저 일을 그만두고 퇴직금을 받아서 오산으로 이사를 하고 그동안 저축한 돈으로 학교 근처에 방 2칸짜리 전셋집으로 이사하면서 시장조사를 하다 보니까 그래도 먹는 장사가 제일 낫다는 시장 사람들의 얘기를 듣고 20평짜리 가게를 계약했다. 테이블 8개 놓고 주방을 꾸미고 설거지하는 아주머니 한 명을 채용하였다.

나는 맏며느리로 살았기에 음식 만드는 데는 나름대로 자신 있었고 친정어머니의 음식 솜씨와 타고난 미각도 있었기에 오픈하기 전에 칼국수 육수 끓이는 연습과 밀가루 반죽을 만들어 보았다. 시행착오를 거쳐 육수 끓이는 방법은 시간을 측정하여 시원하고 깔끔한 육수를 만드는 데는 성공했지만 밀가루 반죽은 무언가 부족하고 밀가루의 특이한 냄새를 제거해야만 되는데 하고 고민하다가 계란도 넣어보고, 시금치, 당근, 오이도 넣어보고 연습했지만, 내 입맛에는 무언가 식감의 부족함을 느낄 수 있었다.

며칠 동안 시장에 돌아다니면서 살피다가 도토리가루를 넣어보라고 시장에서 장사하시는 아주머니가 말해주셨는데, 계산을 해보니 단가가 너무 비싸 포기하고 좀 더 저렴한 야채를 찾다가 부추를 갈아서 넣어보았더니 밀가루의 특이한 냄새는 제거됐지만 식감이 문제였다. 전혀 쫀득거리지 않고 쉽게 퍼져서 10분만 지나면 죽처럼 돼버렸다.

몇 번의 실습을 거듭하면서 부추, 계란, 소금, 감자가루, 콩기름을 넣어서 반죽했더니 쫀득쫀득하고 밀가루의 특이한 냄새도 제거되어 드디어 부추칼국수를 만들게 되어 장사를 시작했다. 오픈하자마자 손님이 몰려왔다.

처음에는 오픈한 칼국수 집이라서 한 번쯤 맛보려고 손님들이 엄청 많이 몰려와서 친정어머니도 가게에 와서 도와주고 홀 서빙 아주머니를 채용해 주방아주머니하고 넷이서 바쁘게 장사를 했다.

아이들은 학교에 갔다 와서 매일같이 칼국수를 먹었고 밥을 먹으라고 해도 칼국수만 먹겠다고 해서 어쩔 수 없이 칼국수만 먹였다.

살림집이 가게 옆집이어서 아이들은 책가방을 집에 놓고 가게에 와서 놀았고 엄마가 항상 가게에 있어서인지 아이들 표정도 밝아지고 씩씩하게 잘 자랐다.

두 달이 지나자 입소문이 나서 손님들도 더 많이 찾아오고 시장 사람들은 배달해 줄 수 있냐고 전화를 했지만 배달할 수가 없어서 포기했다.

조금은 피곤했지만 아이들과 항상 같이 있어서 좋았고 장사도 잘 되어 이제는 안정을 찾았고 지나간 시간의 아픈 상처를 조금이라도 위로받을 수 있게 되었다.

그리고 얼마 지난 후 이혼한 남편이 찾아왔다.

첫마디가 아이들이 보고 싶어서 왔다고 했다.

나는 아이들 보고 싶어서 왔다는 남편을 차마 거절하지 못하고 잠깐만 보고 가라고 했다.

큰딸은 초등학교 4학년이고, 둘째 딸은 3학년이라 서먹서먹해했는데, 1학년인 셋째 딸은 가게에 들어오자마자 아빠 왔다고 좋아했다. 유치원 다니는 막내아들은 카운터 한쪽에서 잠을 자다가 일어나 큰 누나 앞으로 가서 눈치만 보고 있었고, 셋째 딸은 애교가 많아서인지 어느새 아빠 무릎에 앉아 있었다.

한 시간 지났을까 남편은 애들하고 얘기하다가 돌아갔다.

다음 날 또 가게로 찾아왔지만 나는 모르는 척하고 장사만 했다.

다음 날, 또 다음 날 계속해서 일주일 동안 가게로 찾아와서 아이들만 보고 갔다.

그리고 다음 날 나한테 가정을 돌보지 않은 것을 후회하고 있고 아이들하고 같이 살고 싶다고 하기에 너무 기가 막히고 화도 났지만 나 자신보다 아이들 생각을 먼저 물어보겠다고 했다. 학교에서 돌아온 아이들한테 물어보았더니 모두 다 아빠하고 살고 싶다고 해서 일주일 동안 고민하다가 오로지 아이들만을 위해서 아이들이 성인 되어 결혼시킬 때까지 부모로서 책임지기로 약속하고 다시 재결합했다.

그렇게 남편과 재결합해서 같이 칼국수 장사를 하였고 밀가루 반죽하고 배달은 남편이 하면서 살았다. 시장 사람들에게 배달을 하면서부터 매출이 점점 더 늘어나서 아이들을 공부시킬 수 있는 여유가 생겨 피아노와 미술학원을 보낼 수 있었고, 아이들도 건강하고 씩씩하게 잘 커서 이제는 행복한 가정으로 안정을 되찾을 수 있게 되었다.

몇 달이 지난 후 우연히 남자 손님 두 분이 들어와서 칼국수를 주문했다.

정성을 다해 끓여서 갖다드리고 나서 매출장부에 기록하고 있는데 평소에는 손님들 얘기하는 소리를 귀담아 듣지 않았었는데 그날따라 손님들 이야기 소리가 들려와서 나도 모르게 엿듣게 되었다.

조상 묘를 이장하려고 하는데 묘 자리를 봐달라고 하는 이야기를 하고 있었다.

잠시 머뭇거리다가 손님에게 다가가 말했다.

죄송하지만 두 분 말씀하시는 얘기를 듣게 되어 궁금해서 문의하고 싶은데 괜찮으신지요? 하고 말했더니 무슨 얘기하려고요? 하고 되물었다.

혹시 묘 자리를 보실 줄 아세요?

그중 한 분이 당신이 묘 자리를 보고 이장해주는 지관이라고 하였다.

혹시나 하는 마음으로, 꿈 해몽도 해 줄 수 있나요?

하였더니 꿈 얘기나 들어보자고 해서 2년 10개월 전에 꿈을 꾸었는데 시아버님 묘에서 물이 흐르는 꿈을 꾸었다는 이야기를 듣고 무척 놀라시는 표정이었다.

지관이라고 하시는 손님이 되물었다.

가정에 무슨 문제 없었냐고 물으시더니 가정파탄이 나고 가족이 뿔뿔이 헤어지지 않았냐고 또다시 물으셨다.

나도 모르게 가슴이 아파오면서 사무쳤던 눈물을 흘리면서 그동안 너무나도 힘들게 살아왔어요. 했더니 당장 한시가 급하니 가게 문 닫고 시아버지 묘에 가보자고 하셨다.

우리 부부는 서둘러 가게 문 닫고 손님을 모시고 내려갔다.

그분은 묘를 보더니 놀라시면서 아버님 묘에 물이 가

득 차있고 묘 이장을 빨리 해야 한다고 말하였다.

남편이 왜, 뭐가 잘못됐나요? 여쭤보았더니 예전에는 그런대로 괜찮았었는데 묘 위에 건물이 들어서면서 지형이 바뀌어 하수구 물이 묘로 들어와 계속해서 흐르고 있었다고 말씀하셨다. 마침 구경나온 동네 사람들에게 큰소리로 호통을 치셨다.

어떻게 묘 위에 건물을 지어서 한 가정을 파탄 나게 만들었냐고... 큰소리치니까 동네 사람들과 시외삼촌 두 분도 아무 말씀도 못하고 놀라는 표정이었다.

남의 묘 위에 함부로 건물을 지으면 그 집안이 망한다고 하면서 아무리 상식이 없어도 누구 하나 말리는 사람도 없고 그 가족에게 허락을 받고 건물을 지어야 하는 것이 도리 아니냐고 하면서 큰소리로 말씀하셨다.

그 말을 들은 외삼촌들과 동네 분들은 몰랐다고 하면서 우리 부부에게 그동안 고생 많이 했다고 위로해 주셨다.

다행히도 그분이 말씀하시길 꿈을 꾸고 3년이 지나면 아무 소용이 없는데 다행히 두 달 남았으니까 빨리 서둘러서 묘 이장을 해야 한다고 말씀하셨다.

다음 날 그분은 다른 약속을 취소하고 가게로 찾아오셨다.

묘 자리 보러 가자고 해서 종중산에 모시고 갔더니 자리가 안 나온다고 해서 헛수고하고 돌아올 수밖에 없었다.

다음 날 시어머니가 전화하셔서 동네에 사시는 한 분이 묘 자리로 산을 팔려고 터를 만들어 놓은 데가 있으니 가서 보라고 해서 또다시 모시고 내려갔더니 그 자리도 방향이 안 맞아서 안 된다고 해서 되돌아오는 길에 갑자기 저 산으로 가보자고 하시더니 이 자리가 바로 묘 자리가 나온다고 하셨다.

시어머니께 임야주인을 알아봐달라고 했더니 다행히도 한동네 사시는 분이었다.

우리 부부는 임야주인을 찾아가 부탁을 드렸더니 흔쾌히 허락하셨다.

믿을 수가 없었다. 다시 한번 말씀드렸더니 오히려 미안하다면서 당연히 해 주겠다고 말하셨다. 그것도 산 한 가운데를 측량해서 팔아야 되는데도 망설임도 없이 승낙하셨던 것이다. 그분이 말씀하셨다.

시아버님이 살아계셨을 때 복을 많이 지으셔서 좋은 자리를 찾게 된 거라면서 인연이 닿아서 다행이라고 말했다.

묘 위에 들어선 건물은 교회였다. 그 임야주인은 교회 장로이기도 했다.

그래서 우리 부부가 2년 넘게 불행을 겪으면서 살아왔다는 것을 동네 분들은 다 알고 있었고 임야주인도 알고 있었기에 미안하다고 했던 것이다.

다음 날 우리 부부는 계약을 하고 며칠 후 부족한 돈은 대출을 받아서 잔금 치르고 측량을 해서 표시해 놓고 서둘러서 명의 변경을 했다. 며칠 후 지관은 묘 이장 날짜를 잡아서 연락을 하였다.

우연이란 정말 있을까?

칼국수 장사를 하면서 남편과 재결합하게 되었고 꿈에 대한 해몽도 할 수 있게 된 것이 우연일까? 인연인지 모르겠지만 지관 일을 하는 손님이 들어와서 의문을 풀 수 있게 되었다는 것은 마치 소설 속에서나 나올 수 있는 이야기처럼 부인할 수 없는 현실에서 일어난 우리 가족 이야기다. 3년 동안 모진 풍파를 겪고 나서야 시아버님 묘자리에 문제 있다는 얘기를 들을 수 있었고 우연이든 인연이든 현실을 받아들이면서 다시 한번 기회를 주었다는 생각에 마음의 안정을 찾을 수 있었다.

묘를 이장하다

묘 이장하는 날이라서 서둘러 시골집으로 향했다.

두 시동생과 시누이, 시 아주버님, 시외삼촌 두 분이 기다리고 계셨다.

묘 앞에다 간단하게 상차림 하라고 해서 차려놓고 가족들이 모두 절을 했다.

큰며느리는 아버님 유골을 보면 안 된다고 해서 멀리 떨어져 있었고 가족들과 동네 분들이 보고 있는 가운데 묘소를 파기 시작했다.

지관은 유골을 하나하나 추려서 정성을 다해 하얀 광목에 싸서 새로 만든 관으로 모시고 절을 하면서 '이제 좋은 터로 모실 테니 걱정하지 마세요' 라고 주문하였다고 한다.

나중에 들은 얘기지만 묘지를 파서 보니 진짜로 물이 흐르고 있었고 모셨던 관은 썩지 않은 채 유골만 검은색으로 변해 있었다고 한다.

참석하신 동네 분들이 놀라시면서 이제라도 묘 이장을 하게 되어 다행이라고 말했고 시아버님 유골을 모시고 새로 모실 산으로 향했다.

묘 이장을 담당하시는 분들과 금잔디가 차에 가득 쌓여 있었다.

나침반으로 방향을 잡으신 후 표시를 해 놓고 산 고사를 지내라고 해서 준비해온 과일과, 돼지머리, 시루떡 등을 차려놓고 막걸리를 잔에다 부어놓고 가족들이 절을 했다.

땅을 파다 보니까 백토가 나와서 놀랐다. 참석한 가족들과 동네 분들도 놀라는 표정이었다.

어떻게 산 가운데서 백토가 나올 수 있냐고 여쭤봤더니 지관은 이미 알고 계셨던 것처럼 말없이 웃음을 지으셨다.

지관은 정성을 다해 유골을 순서대로 잘 정리하시더니 새로 만든 관에다 모시고 절을 하면서 '이제는 편히 잠드세요.' 라고 주문하셨다.

땅을 판 곳에 아버님 유골을 모시고 흙을 덮고 금잔디로 씌어 마무리했다.

마무리하고 나서 가족들은 묘 앞에서 술 한잔 더 올려

드리고 절을 하며 마지막 인사를 하고 내려왔다.

시어머니께 인사드리고 지관을 모시고 올라오면서 수고비를 얼마 드려야 하냐고 여쭤봤더니 저녁이나 먹자고 하셨다.

한정식 집으로 모시고 가서 식사를 마치고는 수고비는 안 줘도 되고 밥 한 끼면 됐다고 하셨다. 지금까지 마음고생 많았으니까 아이들하고 행복하게 살면 된다고 사양하셨다.

다른 가족들도 있는데 왜 저만 꿈을 꾸었냐고 여쭤보았다. 선몽은 아무한테나 나타나지 않고 해 줄 사람한테만 나타나며 이 집안 기둥은 큰며느리라고 알려 주신 거라고 말하였다.

묘 이장했다고 해서 금방 발복은 안 생기고 앞으로도 3년 동안 바람이 불다가 멈출 거라고 하면서 발복은 9년이 지나야 나타날 거라고 하셨다.

시아버지가 살아계셨을 때 복을 많이 지었기에 좋은 터를 발견할 수 있었고, 명당은 복을 많이 쌓고 인연이 닿아야 찾을 수 있다고 웃으시며 말씀하셨다.

나는 궁금해서 또다시 여쭤보았다.

지관 일을 왜 하시게 됐나요?

그분 집안에는 조상 대대로 단명하여 50 나이를 넘기기 힘들었다고 하신다.

그래서 풍수에 대한 공부를 하게 되었고 연구하면서 터득하게 되어 바람 부는 방향, 주변 나무가 자라는 모습과 흙을 만져보면 어느 정도 파악할 수 있었다고 했다.

조상님들을 좋은 터로 묘 이장해서 모셨고 당신 나이가 60이 넘었다고 하셨다.

저녁 식사를 마친 후 계산하면서 식당 주인에게 편지봉투를 얻어 30만 원을 넣어 적은 돈이지만 성의로 받아달라고 부탁드렸다. 자꾸만 사양하셔서 주머니에 넣어 드리면서 용돈으로 쓰세요. 라고 했더니 고맙다고 하시면서 다음에 칼국수 먹으러 오시겠다고 하면서 떠나셨다.

그 당시 묘 이장하려면 수고비가 100만 원~300만 원이라고 알고 있었다.

그분은 우리 부부가 너무 안타까워서 조건 없이 도와주고 싶었다고 하셨다.

며칠 후 시골집에 내려갔더니 친척 어른들과 동네 사람들이 큰일을 했다고 칭찬해 주셨다.

묘 자리로 쓸 수 있게 임야를 파신 아저씨는 살아생전 뵙지 못한 시아버지를 위해서 애쓰는 큰며느리 모습이 안타깝고 예뻐서 주셨다고 했다.

분할 측량을 하다가 남의 묘에 당신 땅이 포함돼 있어서 땅을 찾게 되어 오히려 고맙다고 하셨고 우리 가족한테 베풀어 주셨기에 복을 받으신 것 같다고 하셨다.

결혼해서 6개월 만에 1년 제사를 모셨는데 돌아가신 시아버지께 큰며느리로 인정받은 것 같은 느낌을 받았고 한동안 우리 가족은 행복했었다.

몇 달이 지난 후 또다시 태풍이 몰아치듯이 불어오기 시작했다. 다정하시던 시어머님이 자식들을 차별하면서부터 가족 불화가 계속됐다.

큰 시동생이 돈을 많이 벌기 시작하면서 용돈을 받는 순간부터 큰아들을 외면하셨다.

칼국수 장사를 하면서 네 명의 아이들을 키우다 보니 어머님 용돈을 드릴 형편이 안 되고 겨우겨우 먹고 살 정도였고 미처 어머니를 생각할 겨를이 없었다.

우리 가족은 겨우 안정된 가정이 되어 아이들과 행복하게 살고 있었는데 계약 기간이 지나자 건물 주인이 가게를 내놓으라고 했다.

어느 정도 지나 칼국수가 맛있다고 소문이 나서 손님이 많아지면서 돈을 조금씩 저축할 수 있었고 주변 상가 건물도 더불어 장사가 잘 되면서 서로서로 다정한 이웃으로 가게를 운영할 수 있었다. 겨우 자리가 잡혀 열심히 살면 우리 가족은 다시 예전처럼 행복하게 살리라 싶었는데 건물 주인은 작은 며느리가 장사하고 싶다고 해 더 이상 재계약 못 해준다고 하니 어쩔 수 없이 폐업하게 되었다.

또다시 돈 많은 부자들 앞에서 힘없이 무너지고 가진 것 하나도 없는 사람의 서러움의 쓴맛을 느끼고 맛보는 순간이었다. 수많은 시련 속에서 다시 이룬 가족을 쉽게 포기할 수 없어서 이를 악물었고 어떠한 불행이 닥쳐도 결코 지지 않을 것이며 아이들을 위해서라도 싸워서 반드시 불행을 행복으로 바꿀 수 있는 날까지 물러나지 않겠다고 마음을 먹었다.

어디선가 읽었던 '진소위가 기난득(眞所謂佳 期難得), 호사다마(好事多魔)' 참으로 좋은 시기는 얻기 어렵고 좋은 일을 이루려면 많은 어려움을 겪어야 한다는 글이 생각났다. 언젠가는 내 인생의 봄날이 올 것이라고 믿고 결코 물러나지 않으리라 다짐하면서 새 출발을 다짐했다.

비록 지금은 힘없이 물러나지만 반드시 나는 성공할 것이고, 돈 많은 부자로 가난한 사람들의 고통을 외면하면서 사는 삶보다 내가 겪은 서러움을 나눌 수 있는 마음의 부자로 살아야겠다는 인생교훈을 배웠다.

우리 가족은 전세금과 가게 보증금으로 아파트로 이사를 갔다. 아무것도 모르는 아이들은 좋아했고 집 정리하고 나서 같이 맞벌이를 해야만 하기에 남편은 직장을 찾아다니고 나도 할 수 있는 일이라곤 식당일밖에 없어서 몇 군데 면접 보러 다녔다.

다행히도 아이들은 건강하고 씩씩하게 잘 자라서 그나마 위안으로 삼았다.

인생을 살다 보면 내가 원하지 않아도 뜻하지 않은 시련이 찾아올 때가 있다. 현명한 사람은 지혜롭게 극복해 나갈 수 있지만 아무 믿음도 없이 무지한 사람은 그대로 운명이라고 생각하며 원망만 하고 살아간다. 그대로 폭풍우를 맞으며 노력조차도 하지 않는다. 무지한 사람은 자기 이해와 지적 통찰을 하지 못하기 때문에 자기 자신을 표현할 줄 모른다.

어느 순간 소심한 성격이었던 나는 단짝인 친구에게도 속마음을 털어놓지 못하고 연락을 끊어버렸다. 이웃을 만나면 가볍게 인사만 나눌 뿐 마음의 문을 열고 다가서질 못해서 진정한 대화를 나눈 적이 없었다.

친정아버지의 죽음

남편은 새 회사에 취직하고 나도 한식집에 취직하면서 열심히 살고 있었는데 어느 날 남편 사고 소식이 들려왔다.

회사에서 넘어져 무릎 연골과 십자인대 파열로 수술을 하게 되어 입원을 했다.

그날 밤 친정아버지가 병원을 찾아와 수술한 무릎을 만지면서 '사위, 이제 괜찮을 테니 걱정하지 마.'라고 하면서 웃으시며 가시는 모습을 보고 꿈에서 깨어났다고 했다.

아침에 아이들을 학교에 등교시키고 나서 서둘러 한식집으로 일하러 출근했는데 친정어머니한테서 아버지가 돌아가셨다는 전화를 받았다.

일주일 전 부동산 사무실 개업하는데 다녀오시다가 술에 취해 넘어지셨는데 많이 아프다고 하여 병원에 모시고 갔다. 진찰을 받았는데 아무 이상 없다고 해서 가벼운 타박상이라고 생각하고 조금만 시간이 지나면 괜찮을 줄 알았는데 갑자기 돌아가신 것이다.

한평생 하루도 쉬지 않고 성실하게 살아오셨는데 일주일 동안 아무것도 못하고 누워만 계셨던 것이 살아생전 처음이자 마지막 휴식이었고 돌아가시는 날까지 큰사위를 걱정하시면서 작별인사를 했던 것 같다.

아무것도 할 수 없었다.

운전을 하면서 집으로 가는 도중에 눈물이 나서 도저히 운전을 할 수 없었다. 잠시 도로에 주차해 놓고 멈추지 않은 눈물을 삼키며 울었다. 그동안 아버지 마음을 모르고 살아왔던 것이 후회로 밀려왔다.

이혼하면서 재결합할 때까지 아버지는 아무 말씀도 안 하셨는데 그동안 얼마나 힘드셨을까? 상처받은 딸이 마음 아파할까 봐 속으로 말을 삼키시고 술을 드시면서 마음속으로 울고 계셨을 것이다.

남편과 재결합했을 때도 "큰 사위, 술 한잔 받게 " 이 한마디만 하고 더 이상 아무 말씀도 안 하셨다.

결혼하면서부터 아버지께 효도 한 번 못하고 마음만 아프게 한 것이 후회로 밀려왔다.

눈물을 흘리면서 집에 도착해 보니 정말로 아버지가 숨

을 안 쉬고 계셨다. 막상 아버지의 창백한 얼굴을 보고 나니 눈물이 안 나올 정도로 믿을 수가 없었다.

돌아가시기 전에 일주일 동안 일어나지도 못하고 누워만 계시다가 그날은 어머니한테 물 한잔만 떠다 놓고 마을회관에 가서 놀다 오라고 해서 잠시 나갔다 온 사이에 혼자서 쓸쓸하게 숨을 거두셨다고 한다.

마지막 가시는 길을 혼자서 가셨다는 말에 내 가슴은 통증으로 숨을 쉴 수 없었고 임종을 보지 못한 죄송한 생각에 한동안 멍하게 앉아 있었다.

경찰이 도착하여 질병으로 진료를 받은 기록이 없기 때문에 부검해서 사망진단서를 받아야 한다고 했다.

평소에 술을 좋아하셨지만 특별히 아픈 적이 없었기 때문에 건강하리라고만 생각했었다.

잠시 후 응급실 구급차가 와서 아버지를 모시고 병원에 도착하여 부검을 한 뒤 사망판정을 받고 장례식장으로 모셨다.

시골에서 평범하게 사셨지만 근면, 성실하게 살면서 덕을 많이 쌓으셨기에 동네 어른신들과 이웃 동네에서도 많이 오셔서 아버지의 마지막 길을 외롭지 않게 배웅해 주셨다. 남편은 수술한 지 하루 만에 병원에서 외출증을 끓고 나와서 손님을 접대하고 묘에까지 목발 짚고 올라가 아버지를 마지막까지 지켜주었다.

아버지 장례를 치른 후 무기력해지면서 아무것도 할 수가 없었다. 남편은 병원에 다시 입원하여 치료를 받고 나는 다니던 직장도 그만두었다.

아이들을 겨우겨우 학교 보내고 나면 가슴이 터질 것 같은 아픔이 밀려왔다. 하루 종일 누워만 있다가 아버지 생각나면 큰 소리로 울었고 한참 울고 나면 또다시 무기력해지면서 아무것도 할 수가 없었다.

남편은 한 달이 지난 후 퇴원해 집에 돌아와서 위로해주었지만 효도 한번 못하고 아버지 마음만 아프게 했던 나의 모습이 싫어서 어디론가 도망가고 싶었다. 나중에는 잠자는 것도 두려울 정도로 꿈에 시달려 잠을 잘 수가 없었다.

긴 병에 효자 없다는 말이 있듯이 우울증으로 인한 스트레스로 사소한 것조차 싸움으로 시작해서 싸움으로 끝났다. 무엇이든 남편 탓으로 돌렸고 왜 나를 불행하게 만들었냐고 차라리 죽는 게 낫다고 하소연하면서 매일같이 원망하면서 살았다.

그 와중에 시어머니는 우리 가족을 또다시 왕따를 시켰

다. 결국 참고 살던 나는 견딜 수가 없어서 남편한테 따지기 시작하였고 사소한 싸움이 큰 싸움이 되면서 아이들은 엄마아빠 싸우는 모습에 눈치만 보고 방에서 나오질 않았다.

얼마나 시간이 지났는지 모른다. 어느 날 아이들의 자는 모습이 눈에 들어오면서 평화롭게 자는 네 명의 자녀들이 무슨 죄인가. 부모 잘못 만나서 한참 재롱떨며 사랑받고 살아야 하는 아이들이 가엽다는 생각이 들기 시작했다.

내가 왜 이럴까? 자신감을 잃어버린 나는 매일같이 울었고 어느새 아이들이 깨어나 내 품으로 안겨 와 같이 울었다. 한참 울고 나니 정신이 번쩍 들었다. 아이들을 위해서 더 이상 울지 않겠다고 마음을 먹고 나니 더 이상 눈물이 나오지 않았다.

그 이후로 나는 한 번도 울지 않았다. 내 자신보다 엄마라는 이름으로, 오뚝이처럼 쓰러져도 또다시 일어나는 강한 엄마로서 살아왔다.

다시 찾은 행복을 놓치지 않으려고 온갖 정성을 다해서 열심히 살려고 노력하고 또 노력했지만 나의 인생살이는 쉽지 않았고 한 번 꼬였던 실타래는 꼬이고 꼬여서 도저히 풀 수 없을 것 같았다. 불행이 언제 끝날지 모르는 시간과 싸움이 계속되면서도 조그만 희망이라도 놓치지 않으려고 안간힘으로 버티며 살아왔다.

불행은 멈추지 않았다.

오뚝이처럼 쓰러지고 또 쓰러졌어도 다시 일어나 열심히 살았다.

아이들이 네 명이라서 생활은 빠듯했지만 우리 여섯 가족은 작은 행복이라도 누릴 수 있었다. 그런데 시어머니는 힘들게 사는 큰아들보다 돈 많이 버는 큰 시동생한테 기울기 시작하면서 가족이 외식할 때도 애들이 많다는 이유로 우리 가족한테는 연락도 없이 두 시동생과 시누이 가족만 모여서 먹을 정도였다. 애들이 남의 손자손녀도 아니고 당신 손자손녀임에도 불구하고 모르는 척 했고 어렵게 산다는 이유로 가족행사나 모임이 있으면 왕따를 시켰다.

'세상에 이런 일이'에 나올 법한 이야기가 우리 가족한테서 일어나고 있다는 것이 믿을 수 없을 정도였다.

남편은 화도 못 내고 우리 가족 만이라도 열심히 살자고 다짐하면서 다니던 회사를 그만두고 조그만 사업을 시작했지만 얼마 가지 못해 또다시 힘들게 모은 돈을 다 잃어버렸다.

정말 불행은 불행을 낳는다는 말이 맞는 것 같다는 생각이 들 정도로 고통 속에서 살고 있을 때 큰딸이 중학교 2학년이 되어 갑자기 수원으로 전학 보내달라고 사정 해서 어쩔 수 없이 오산에 살고 있다가 수원으로 급하게 이사를 하게 되었다.

새로운 곳에서 새롭게 시작하자고 우리 가족은 다짐하면서 열심히 살려고 노력했지만 뜻대로 되질 않았다. 나는 운이 좋게 예전에 알던 한식집 실장 소개로 매니저 일을 다시 시작했고 남편은 토목 하도급 공사 작은 오더를 맡아서 일을 했지만 수금을 못해 또다시 위기상황이 거듭되었다. 새로운 마음으로 시작하려고 수원으로 이사와서 살겠다는 우리 가족의 작은 희망은 오래 가지 못했다. 남편은 건설현장 책임자였는데 그날 인력이 부족해서 도우려다가 떨어져서 발목의 뼈가 산산조각이 나는 사고를 당했다. 회사에서 산재사고 처리해 수술을 받고 석 달 동안 입원해야만 했다. 월 급여 70%밖에 안 나오는 산재 급여를 타고 나는 매니저로 다시 일하면서 아이들을 키워야만 했다.

왜 우리 가족에게만 불행이 멈추지 않을까?

이 불행은 언제 끝날까?

너무 화가 나서 스트레스를 풀지 못해 힘들어 하니까 같이 일하는 동료들이 술 한 잔 먹으면 스트레스가 풀린다고 해서 생전 처음으로 술을 먹게 되었고 스트레스 풀려고 노래방도 다녀보고 했는데도 오히려 더 많은 스트레스가 쌓였다. 술 한 잔 먹으면 기분은 좋았지만 깨어나면 허무하고 울적해졌다. 다른 동료들은 스트레스가 싹 풀려서 기분이 좋다고들 하는데 나한테는 술도 노래방에 가서 노는 것조차 허락되지 않았다.

사고 이후 남편은 후유증으로 1년 동안 일을 못 했기 때문에 힘들어 하는데도 시댁식구들은 누구 하나 거들떠도 보지 않았다. 나중에 알았지만 한 해 농사 지어서 모아둔 돈으로 막내 시동생만 도와주고 있었고 시동생이 차 할부를 못 갚아서 경매 넘어가게 되어 할부금을 갚으려고 우리 가족을 외면하였던 것이었다.

남편은 참다못해 화가 나서 시골집으로 향했다.

남편이 태어나던 해는 60년대로 우리나라 경제가 어려운 시대였고 백일밖에 안 됐을 때 연년생으로 여동생이 생겨 젖도 제대로 못 먹고 살림도 어려워서 미음을 고운 채로 걸러서 먹였다고 한다. 그 당시는 냉장고도 없어 깊은 우물 속에 주전자에 줄을 매어서 미음을 보관해서 먹였다고 했다.

첫돌 이틀 전에 태어난 여동생과 같이 키울 수가 없을 정도로 형편이 어려워 큰어머니 집으로 잠시 보냈는데 계속해서 두 남동생이 태어났고 더욱더 집으로 돌아갈 수 없게 되었다고 한다. 결국은 아들이 없던 큰어머니가 중학교 다닐 때까지 키우셨다고 한다. 어렸을 적에 동생들이랑 놀고 싶어서 집으로 내려왔지만 싸움이 나면 동생들은 셋이서 똘똘 뭉치고 "너네 집으로 가라"고 해서 울면서 큰댁으로 올라가곤 했다고 한다.

큰어머니가 양자로 달라고 하였지만 장남이라서 안 된다고 집으로 데리고 내려오게 되었다고 한다.

장남으로 태어났어도 부모님 사랑을 제대로 받지 못해서 항상 동생들한테 양보만 하고 살았고 한집에서 자란 동생들은 셋이서 뭉치고 남편은 항상 외로워했다는 것이다.

그런데도 어머님은 무심하셨고 그저 먹고 살기 바빠서 큰아들을 돌보지 못한 미안한 마음도 없이 싸움이 나면 무조건 동생들한테 양보하라고 했다고 한다.

낳기만 했지 당신 품에서 직접 키우지 않아서 애틋한 정이 없었던 것일까?

나는 시동생들이 결혼하기 전까지는 최고의 며느리로 살았다.

7년 이후 작은며느리를 맞이하면서 어머님은 조금씩 변하기 시작했다.

나한테는 고추장, 된장, 김치 한번 안 해주시던 어머님이 작은며느리한테는 다 만들어 주시기 시작했고 빈말이라도 너도 갖다 먹으라는 한 마디도 안 하시고 모두 보자기에 싸서 작은 며느리만 챙겨주셨다.

나는 7년 동안 혼자 사시는 어머님을 생각해서 삼겹살, 생닭, 김치, 밑반찬까지 떨어지지 않게 냉장고에 가득 채워드렸고 일주일에 한 번씩 내려가서 집안 대청소를 했는데 큰며느리이니까 당연히 해야 된다고 받아들이신 것이다.

그렇게 차별했어도 큰며느리인 내가 마음을 넓게 써야만 했고 집안의 평화를 위해서 참고 또 참고 살아야만 했었다. 지금 와서 생각해 보면 바보처럼 살았던 것이다.

결국 남편과 나는 장남과 맏며느리에 불과했고 생활이 궁핍해져서 살기 힘드니까 외면하셨고 돈 잘 버는 큰 시동생만 챙기기 시작했던 것이다.

몇 년 동안 장남이라는 책임감으로 온 가족을 포용하고

인내하면서 살아야 했던 남편도 힘들어 하기 시작했다.

30년 전만 해도 가부장적 가정이 많은 사회였었다.

대가족의 며느리로 산다는 것은 상상도 못할 정도로 힘든 일이었다. 더군다나 한 동네에 집안 어른들이 많이 살고 계시면 행동도 함부로 할 수 없고 꿀 먹은 벙어리처럼 살아야 한다. 조금이라도 실수하면 친정에서 뭘 배우고 왔냐고 야단치시는 둘째 큰어머니의 시집살이에 눈치를 보며 살아야 했다. 다행히도 큰어머니의 사랑을 받았기에 견딜 수가 있었다.

이때부터였을 것이다. 내 마음을 속으로 삼키며 살게 되면서 소통과 공감능력이 점점 사라지고 감성도 메말라 가고 있었다.

친정아버지의 죽음으로 나는 외로운 고통 속에서 살아야 했고, 살아계셨을 때는 못 느꼈던 아버지의 사랑이 든든한 버팀목이었다는 것을 뒤늦게 알게 되었다.

아버지의 빈자리로 인해 맏딸로서의 책임감과 한 가정의 맏며느리이자 아이 넷을 둔 엄마로 살아가기 위해 안간힘을 쓰다 보니 어느덧 나의 어깨가 무거워지기 시작했다.

제 2 장 꿈속에서 부처님을 만나다

또다시 가족들에게 왕따를 당하다

항상 어머님 마음을 먼저 챙기며 우선순위로 생각했던 남편은 그동안 모른 척하고 살았는데 더 이상 참을 수가 없었는지 시골집에 내려가서 어머님한테 그동안 서러웠던 얘기를 하니까 너희들은 알아서 잘 사니까 조금도 걱정 안 한다고 하면서 오히려 장남이 동생들을 책임져야 하는 것 아니냐며 야단을 치셨다.

아무리 당신 품속에서 키우질 않았어도 배 아파 낳은 장남인데 이렇게 차별하다니 생각지도 못한 시어머니의 말씀에 우리 부부는 더 할 말을 잃었다.

돌아오는 길에 지난 세월을 되돌아 생각했다. 처음 분가할 때도 시어머님은 돈 한 푼 도와주지 않았고 오히려 큰어머님이 도와주셨다. 부족한 돈은 대출을 받아서 방 2개 있는 전세방을 얻어 분가하여, 알뜰하게 한 푼 두 푼 모아 저축하며 살았다. 시동생들은 처음부터 결혼할 때 전셋집을 독채로 얻어주고 아파트 살 때도 도와주었다.

우리가 아파트 살 때는 한 푼도 도와주지 않았다. 그렇게 차별했어도 장남이고 맏며느리라서 아무 말도 못하고 참고 살아야 했던 내 자신을 원망하면서 집안에 어려운 일이 생기면 척척 해결사 역할을 했고, 나만 참고 살면 아무 일 없이 온 가족이 행복할 것이라고 착각하면서 살았다는 생각에 하염없이 눈물이 흘렀다.

결혼할 당시에 친정 부모님은 홀시어머니이니까 공경하며 잘 모시라고 가르쳐 주셨고 맏며느리는 넓은 마음으로 포용하면서 살아야 한다고 하셨기에 참고 살았는데 오히려 바보며느리로 살았던 것이었다.

그날 이후로 앞으로는 절대로 바보처럼 살지 않겠다고 결심하면서 올라왔다.

아이들을 데리고 시골집을 떠나오면서 남편은 아무 말도 없었다. 아마도 어렸을 때처럼 또다시 어머니한테 버림받은 상처가 깊어진 것 같았다.

부모자식은 천륜이라고 하는데 과연 끊고 살 수 있을까?

그날 이후로 남편은 한동안 술을 먹으면서 시간을 보냈고, 발목의 후유증으로 일도 못하는 마음의 상처도 술로 풀었다.

아이들을 키우기 위해서 난 또다시 한식집에 매니저로 취직해서 홀로 가정 살림을 이끌어야만 했다. 나는 남편의 아픔을 헤아려 줄 시간조차 없이 바쁘게 살았다.

추석 명절 때 있었던 이야기이다.

나는 한식집에서 늦게 끝나기 때문에 시장 볼 시간이 없어서 명절 전날 시어머니하고 만나서 장을 보기로 약속했다.

그날따라 유난히 손님이 많아 바빠서 12시까지 일하고 집에 돌아와 청소하고 빨래를 하다 보니까 새벽 2시가 넘어 잠이 들어 늦잠을 자게 되었다.

서둘러서 아이들을 데리고 시장에서 만나기로 하고 달려갔는데 동서들과 시어머님이 기다리고 있었다. 그런데 도착하자마자 시어머님이 배고파서 두 며느리와 자장면을 사 먹고 기다렸다는 말을 하는 순간 맥이 풀렸다. 시장도 안 보고 빈손으로 앉아있는 동서들을 보면서 화가 났고 큰며느리 생각을 조금도 안 한 시어머니한테도 서운했다. 하지만 명절이라 참을 수밖에 없어서 장을 보기 시작했다. 이것저것 사다 보니까 50만원 넘게 비용이 들어갔지만 아무도 보태주지 않았고 혼자서 부담해야만 했다.

집에 도착하자마자 시어머님은 장을 본 물건을 확인하더니 갈비하고 국거리 소고기와 제사에 올릴 적거리가 없다고 하면서 빨리 사오라고 재촉했다. 나는 모른 척하고 주방으로 들어갔고 서로 눈치만 보고 있다가 남편이 가려고 하기에 모른 척하고 있으라고 눈치를 주었더니 슬그머니 담배를 피우며 밖으로 나갔다.

잠시 후 큰 시동생이 사오겠다고 하면서 나가니까 동서의 얼굴표정이 바뀌었지만 나는 아무렇지 않은 척하면서 음식을 준비했다.

이제까지 동서들은 한 번도 명절 때면 장 한번 보지 않았고 10만 원이 든 돈 봉투를 시어머니한테 주었다. 그러면 시어머님은 용돈을 받았다고 자랑했고 나는 별도로 용돈을 준비하지 않았기에 칭찬을 받을 수가 없었다. 시장에서 물건 산 50만 원은 아무 의미가 없었고 큰며느리이니까 당연하다고 생각했던 것 같다.

더군다나 큰 시동생은 돈을 많이 벌어 부자이면서도 가족들에게 돈 쓰는 데는 동서의 눈치를 봐야했고, 막내 시동생은 허황된 꿈만 꾸다가 빈번히 실패하면서도 막내 동서는 알뜰하지 못해 사고 싶은 것 다 사고 먹고 싶은 것 다 사먹으면서 사치를 부렸고 돈이 떨어지면 시어머니가 보태주며 살고 있었다. 우리는 4남매를 키우며 맞벌이 하면서 살고 있었기에 형편이 넉넉하지 않은 살림에 50만 원은 큰돈인데도 아무도 인정해 주지 않는 가치 없는 돈이 되어 버렸다. 넉넉하지 않은 살림이지만 항상 명절 때에는 온 가족 양말을 사서 선물을 했는데 아무도 고맙다는 말도 없이 당연한 것처럼 생각했다.

나는 그동안 가부장적인 남편과 큰며느리라는 이유로 참고 또 참고 살아야만 했고 항상 어머니를 제일 먼저 챙기는 효자였던 남편도 서서히 마음에 상처를 받고 처음으로 화를 냈지만 어머님은 장남의 말을 듣지 않고 오히려 화를 내시며 서운해하셨다.

결혼한 지 10년 동안 인정 많고 다정다감하셨던 어머님은 왜 변했는지 도무지 이해할 수 없었고 며느리이기보다 딸처럼 고부 사이가 좋아서 동네 분들이 부러워할 정도였는데 갑자기 태도가 바뀌신 이유를 도저히 납득할 수 없었다.

온 가족이 행복했던 시간은 꿈이었고 깨어나 보니 한순간에 사라져 버린 일장춘몽처럼 모든 부귀영화가 덧없이 사라져 버렸다. 다정다감하셨던 시어머니, 인정 많은 시누이와 법 없이도 살 수 있는, 순수했던 시동생들은 어디로 사라져 버린 것일까?

가족이라는 울타리에서 낙천적인 성격으로 한 점 부끄럼 없이 당당하게 살아온 내 삶이 허무하게 무너져버린 순간부터 부정적인 성격으로 변해가고 있었다. 그로 인해 내 마음은 별것도 아닌 일도 불신하게 되었고 실타래처럼 엉킨 삶의 무게를 이리 당기고 저리 당기면서 오히려 더 엉키게 만들어 버렸다.

신뢰가 불신으로 변하여 아무도 믿지 못하고 어느새 눈물도 마르고 풍부했던 감정도 사라지고 사람들하고도 공감 형성을 이루지 못해 홀로서기 해야만 했다. 독한 마음을 품고 오로지 아이들을 위해 살겠다는 마음으로 앞만 보며 달렸다.

그때는 남에게 인정을 베푸는 것조차 사치에 불과했고 얼어붙은 내 마음은 악쓰고 소리 지르며 악착같이 살면서 원망하고 미워하며 살아왔다.

부정적인 말과 생각은 불행이라는 씨앗을 뿌려 불행의 덫에서 헤어나지 못한 원인이라는 것을 이제야 알게 되었고 돌이켜 생각해 보니 조금 더 현명하고 지혜로웠다면 세상 사람들과 소통하며 즐겁게 살고 어쩌면 불행도 멈추지 않았을까 하는 생각을 해 보았다.

열 손가락 깨물어 안 아픈 손가락 없듯이, 부모에게는 자식이 아무리 많아도 모두 소중하다는 말이 있다. 그러나 시어머니는 어떤 마음이었을까?

살림이 어렵다는 이유로 장남을 낳자마자 큰댁으로 보내면서까지 살아야 했을까? 연이어 낳은 자식들은 직접 키우시면서 왜 장남은 돌보지 않았을까? 큰댁에서 양자로 달라고 하니까 그때서야 장남이라서 안 된다며 집으로 데리고 왔다고 한다. 차라리 그때 양자로 보냈다면 상황이 달라졌을까? 그래서인지 남편은 외로움도 많이 타고 정도 많다. 아니 정이 그리워서 시어머니한테 더욱더 효자 노릇하며 살고 싶었을 것이다. 동생들한테도 좋은 오빠 좋은 형이 되려고 했다. 낳은 정과 기른 정 때문이었을까? 장남이 위기상황에 놓였을 때 외면하신 이유가 무엇일까? 전생에 원수라도 만난 것일까? 아니면 보이지 않은 무언가가 모자 사이를 갈라놓았나?

시어머니는 평소에 정이 많으신 분이었다. 무엇보다도 큰며느리인 나에게는 더할 나위 없는 좋은 분이셨다. 10년 동안 한 번의 갈등도 없이 고부 사이가 좋다고 친척분들과 동네 분들이 칭찬하면서 부러워했다. 그런데 어느 순간부터 시어머니는 조금씩 변해가고 있었다.

지금도 이해가 안 되고 의문만 남았다.

우리 부부는 장남과 맏며느리라는 책임감으로 모든 것을 이해하며 참고 산 것이 잘못이었을까? 평소에 힘들면 힘들다고 말하고 아프면 아프다고 말했어야 했다.

조상님이 꿈에 보이기 시작했다

1년 넘게 방황하던 남편은 아이들이 커가는 모습을 보고 차츰 술을 줄이고 열심히 살기 위해 노력해 보겠다고 했다.

오뚝이처럼 다시 일어난 남편은 손재주가 많아서 작은 일부터 시작하였다. 처음에는 일용직에서 현장 책임자로 진급하게 되면서 많은 사람들과 인맥을 쌓아갔다.

작은 사무실을 얻어 오더를 받아 시작하게 되면서 한동안 우리 가족은 행복했다.

아이들도 아무 일 없이 잘 커가고 있어서 더 이상 불행은 오지 않으리라 생각하면서 열심히 살고 있었다.

나는 매니저로 하루 종일 서서 일을 하다 보니 다리가 붓기 시작했고 발바닥이 아팠지만 대수롭지 않게 생각했었다. 퇴근해서 집에 도착해서 발바닥이 아프다고 하면 아이들이 서로서로 마사지를 해주어 행복했으나 통증은 멈추지 않아 밤새도록 아팠고 맞벌이로 일을 해야만 하기에 참으면서 계속 일을 할 수밖에 없었다.

어느 날 아침 발바닥 통증 때문에 도저히 걸을 수가 없어 병원에 가서 진찰을 받아보았다. 의사는 아무 이상이 없다고 하며 직업상 많이 서서 일을 하기 때문일 것이라고 했다.

병원에서 나와 발 마사지를 받으면 나으리라 생각하고 한 달 동안 매일매일 마사지를 받았는데, 조금씩 통증이 없어지는 듯했지만 온몸이 몸살이 난 것처럼 또다시 아파왔다.

며칠 동안 오한이 오면서 온몸이 떨렸다. 이불을 많이 덮어도 소용없었으며 밤새도록 잠도 못 자고 추위에 떨어야만 했다. 감기몸살이라고 생각하며 병원에 갔더니 아무 이상이 없다고 해서 어쩔 수 없이 매니저 일을 그만두고 집에서 휴식을 하면 낳으리라고 생각했다.

발바닥 통증으로 인해 결국 매니저 일을 그만두고 집에서 아이들만 돌보며 한동안 평범한 주부로 살았다.

그렇지만 넉넉지 않은 살림에 맞벌이를 해야만 했기에 또다시 취직을 하기 위해 일자리를 찾다가 한정식 식당에서 주방보조를 채용한다고 해서 주방보조로 들어갔다.

주방보조를 하다 보면 요리를 배울 수 있을 것 같아서

열심히 했다.

실장님과 찬모 언니가 지시하는 대로 성실하게 일하면서 곁눈질로 무엇이든지 배우려고 하니까 핵심은 안 가르쳐줬지만 기본 요리는 배울 수 있게 도와주었다. 1년 동안 결근 없이 실장님과 찬모 언니가 요리할 때 뒷설거지와 야채 및 재료를 준비하면서 보조 역할을 실수 없이 척척 해냈고 힘들었지만 웃어가며 노력하는 모습을 보고 찬모 언니가 더 많은 기본요리와 소스, 그리고 드레싱 만드는 방법도 가르쳐 주었다.

한정식 사장님과 사모님도 직원들이 서로서로 도와가며 열심히 일하고 예약손님도 점점 늘어나서 장사가 잘되니까 모든 직원들에게 봉사료도 챙겨주시며 무척 좋아하셨다.

봉사료로 받은 보너스가 월 급여의 절반이 넘어서, 힘든지도 모를 정도로 몸도 사리지 않고 열심히 일을 하다 보니 몸살이 나서 사흘 동안 꼼짝 할 수 없었다.

이제 조금씩 형편도 나아져서 어느 정도 안정되어 가고 있었는데 어느 날 갑자기 또다시 이상한 꿈을 꾸면서 남편 일도 잘 안되고 나도 몸이 아파 아무 일도 할 수 없게 되면서 갑자기 우리 부부는 실업자가 되어버렸다. 아무리 노력하면서 열심히 살아보려고 해도 나의 인생은 끝없는 추락으로 몸과 마음의 고통 속에서 상처만 남았다.

더 이상 살아갈 희망을 잃은 채 몇 개월 동안 꼼짝도 못할 정도로 아파서 누워 있었고 애들을 돌보지도 못해 남편이 가정살림을 하면서 겨우겨우 버티면서 살고 있었다.

직장을 그만두고 몇 달 쉬는 동안 아팠던 몸은 나아졌지만 밤마다 또다시 꿈을 꾸기 시작했다. 첫 번째 꿈은 할아버지 두 분과 할머니 한 분이 보였다. 흰 한복을 입으셨는데 목에 노란색의 목도리를 두르고 계셨다. 두 번째 꿈은 엄청나게 큰 산소가 나란히 우뚝 솟아올랐고 계속해서 이상한 꿈을 꾸면서 헤매다가 깨어났다. 점점 잠자는 것이 두려울 정도로 괴로웠지만 이상하게도 할아버지 두 분이 계속해서 보이는 이유는 무엇일까 하는 의문이 생기면서 문득 예전에 고모님들이 아버지가 유복자로 태어났다는 애기를 하는 것을 중학교 때 어렴풋이 들었던 기억이 떠올랐다. 서울에 계신 큰고모님을 찾아가서 꿈 애기를 했더니 조상님의 이야기를 들려주었다. 친할아버지와 할머니는 개성에서 사셨는데 갑자기 마을에 몹쓸 병이 돌아서 마을 사람들이 많이 죽었고 그때에 친할아버지도 돌아가셨다고 한다.

그 당시 큰고모님은 어렸을 때 민며느리로 들어가 결혼해서 여주에 살게 되었고 할머니는 9살, 5살밖에 안 된 고모들을 데리고 7개월된 만삭의 몸으로 홀로 남한으로 내려왔다고 했다. 어디에도 의지할 데가 없었던 할머니는 용주사에서 머무르며 스님들 옷을 만들어 드리고 공양을 해 드리면서 아버지를 유복자로 낳으셨다고 했다.

아버지를 낳으신 후 절에서 키우시다가 스님이셨던 작은할아버지의 형님이신 탁씨 성을 가진 할아버지를 만나 재혼하셨다고 한다.

그리고 사촌 큰오빠에게 호적등본 떼어오라고 하시면서 유일하게 남은 친할아버지 이름을 알려주셨다. 일찍 결혼하셔서 큰고모님은 청풍김씨로 올라가 있었고 청풍김씨 할아버지 이름이 등록되어 있었다.

낯선 할아버지가 자꾸만 꿈에 나타났던 이유를 이제야 알게 되었다.

매일같이 조상님들이 꿈에 보여서 누군가에게 의논하고 싶었는데 우연히 겉모습만 보아도 팔십이 넘어 보이는 노스님이 작은 법당을 운영하고 있는 곳을 찾아갔다.

사시 예불이 끝난 후 점심공양을 하고 나서 상담을 받고 싶다고 청했더니 무조건 반야심경을 하루에 10번씩 쓰라고 공책을 주셨다.

처음으로 들어본 “반야심경...” 무슨 뜻인지도 모르지만 이상하게도 써야만 할 것 같았다.

다른 신도들은 시간이 없어 못한다고 하면서 돌아갔지만 나는 법당에 앉아서 공책에 열심히 쓰면서 한 시간이 지나고 삼십 분이 넘어서 끝났다. 그 당시는 아무것도 모르는 불자였기에 사경이라는 뜻도 몰랐었다. 사시예불이니 공양이라는 단어도 처음 들었다.

일주일 정도 지나 어느새 반야심경을 다 외웠다. 한글로 계속해서 쓰다 보니까 재미가 없어서 스님한테 여쭤보았다.

왜 똑같은 경을 반복해서 써야 하나요?

하루에 10번씩 100일 동안 사경을 무조건 하라고만 하셨다.

그 이후로 한자로 그림을 그리듯 열심히 쓰게 되었고 일주일이 지나자 반야심경을 외우면서 써내려갔다. 신기하게도 한글보다 한자로 쓰면 날개를 달은 듯 기분이 좋았다. 스님도 놀라시며 전생에 인연이 있었나 보다 하시면서 웃으셨다. 노스님은 반야심경에 대해 설명을 해 주셨지만 그 당시는 무엇을 의미하는지를 깊이 새겨들을 수 없었고 한자로 외우고 쓸 수 있다는 것만으로도 자랑스러웠다.

노스님은 몇 명 안 되는 신도들을 데리고 한 달에 한 번씩 전국 사찰 성지순례를 하면서 생전 처음 미꾸라지 방생기도를 하였는데 나로서는 처음이라서 그저 신기하다는 생각만 했다.

몇 개월이 지난 후 어느 날 친정어머니가 일주일 동안 식사도 못하시고 딸국질은 멈추지 않고 계속해서 토사를 했다. 병원에 가서 진찰해 보니 체한 것뿐이라고 약 처방을 받아서 먹었지만 낫지도 않고 점점 심해져서 노스님께 어머니를 모시고 갔다.

노스님은 영가 장애로 인해 아픈 것이라면서 천도재를 지내라고 하셨다. 천도재라는 말도 처음 들어 의미를 몰라서 조금은 망설였지만 친정어머니의 창백한 모습에 어쩔 수 없이 천도재를 지내게 되었다. 두 시간이 지나자 창백했던 얼굴도 돌아오고 갑자기 배고프다고 하시면서 밥 한 공기를 다 드셨다. 거짓말처럼 딸국질도 멈추고 예전의 건강했던 어머니의 모습으로 돌아왔다. '세상에 이런 일이'에나 나올 수 있는 일이 내 눈앞에서 펼쳐지고 있었고 노스님께 감사하다고 인사를 했더니 인연이 닿아서 다행이라고 하시면서 눈웃음으로 답하셨다.

그 이후로 친정어머니 모시고 방생기도를 열심히 다녔다.

조상님들은 항상 후손들을 지켜보고 계실까?

꿈을 꾸면서 잃어버린 친할아버지의 존재를 알게 되었다.

어찌 보면 친할아버지의 며느리는 친정어머니이다. 그래서 건강했던 며느리를 아프게 했나? 당신의 존재를 알게 해주려고 했나? 결국은 조상님을 위한 천도재를 지낸 후 친정어머니는 건강을 회복하게 되었다. 그 이후로 나는 알 수 없는 체험으로 부처님 앞으로 서서히 가고 있었고, 노스님은 반야심경을 외울 수 있게 이끌어 주시고 방생기도를 하면서 생명의 소중함을 일깨워 주셨다.

부처님의 꿈

방생기도를 다니면서 또다시 꿈을 꾸었다.

돌아가신 아버지하고 어느 사찰 탑 앞에 앉아 다정하게 얘기를 하고 있었다.

아버지 얼굴을 만지면서 "아버지 얼굴이 너무 좋아졌어요. 뽀얗고 빛이 나요" 하니까 웃으시면서 갑자기 "얘야 고개를 들어 보거라" 하시기에 나도 모르게 "왜 그래요? 아버지" 하면서 위를 쳐다보았다.

사찰 법당 문이 양쪽으로 활짝 열리더니 세 분의 부처님이 금빛 찬란하게 빛이 나고 있었다. 부처님이 나를 반겨주시고 있다는 생각을 하면서 꿈에서 깨어났다.

꿈이 너무나 선명해 하루 종일 잊을 수가 없었고 아버지는 왜 나에게 부처님을 보라고 했는지 궁금했다.

다음 날 평소에 꿈 해몽을 잘하던 친한 언니를 찾아가 이야기를 들려주었더니 부처님을 꿈에서 보면 좋은 일이 있을 거라면서 무당한테 가서 물어보자고 했다.

친정 고모가 경기도 여주에서 점도 잘 보고 큰 굿도 많이 하는 유명한 무당이라고 하면서 곧바로 무당인 고모한테 전화를 했다. 상담 받고 싶은 동생이 있는데 언제 시간 있냐고 묻더니 다음 날 오전 11시에 간다고 약속을 잡았다. 나는 집에 와서 밤새도록 잠을 못 이루고 뜬눈으로 날밤을 샜다.

몹시 피곤했지만 약속을 했기에 언니를 태우고 여주에 도착하니까 10시 30분이었다.

언니가 전화해서 근처에 다 왔다고 하니까 갑자기 무당인 고모가 몸이 아파서 만날 수 없으니 되돌아가라고 했다. 시간 약속까지 하고 수원에서 여주까지 왔는데 한 번만 만나달라고 사정했는데도 오늘은 몸이 아파 점을 볼 수 없으니 다음에 오라면서 현관문을 열어주지 않았다. 나는 몹시 화가 나서 여주까지 시간 약속을 하고 왔는데 약속을 어기시면 어떡하나요? 하고 물었더니 오늘은 점을 볼 수 없으니 그냥 되돌아가라는 말만 반복했다.

현관문 열어줄 때까지 기다리겠다고 하면서 1시간 동안 버티니까 그제서야 현관문이 열렸다. 그 순간 무당은 "야 이년아, 여기 왜 왔니? 절에 가서 기도나 해야지 이런 곳에 왜 왔니?" 하면서 호통을 쳤다. 순식간에 벼락 맞은 것처럼 한동안 움직일 수가 없었다. 들어가지도 못하고 현관문 앞에 주저앉았다.

무당은 물이나 마시고 가라고 하면서 유리컵을 내밀었다. 갈증은 났지만 물조차 마실 수가 없을 정도로 기운이 없었다. 잠시 후 무당은 공손하게 말을 했다.

"보살님은 절에 가서 기도해야 합니다. 꿈에 본 사찰에 가서 인연공덕을 쌓아야 한다고 조상님이 안내해 주셨으니 초, 향, 쌀을 사가지고 올라가서 부처님께 삼배를 올려요" 라고 하면서 "앞으로는 절대로 이런 곳에 오면 안 돼요 명심하세요." 하면서 하품을 하더니 졸려서 낮잠을 자야 하니까 그만 돌아가라고 했다.

무당한테 인사하고 수원으로 내려오는 길에 언니가 말했다. "우리 고모는 영으로 보는 무당인데 네 몸에서 조상님을 본 것 같다"면서 고모가 가르쳐준 대로 그 사찰에 올라가보라고 당부했다.

다음 날 꿈에서 본 사찰로 향했다.

준비해온 초와 향 그리고 쌀을 들고 법당에 들어갔는데 부처님이 세 분이 앉아계시고 두 분은 서 계셨다. 꿈에서 본 부처님은 앉아계시는 세 분이었는데 똑같았다. 초와 쌀은 불단에 올려놓고 향을 피우고 가운데로 가서 삼배를 했다.

가운데 앉아서 부처님을 마주보고 있는데, 신도 한 분이 말하였다. 가운데는 어간이라면서 옆에서 절해야 한다고 알려주었다. 나는 벌떡 일어나 법당 문을 열고 나오는데 기도스님이 부르시더니 “보살님한테 안 좋은 기운이 있으니 무조건 백일기도를 하세요” 하면서 합장을 하고는 법당 안으로 들어가셨다.

마침 재 의식이 있어서 여쭤볼 시간이 없어 종무소로 가서 백일기도를 접수하고 내려왔다.

아침 일찍 일어나 남편은 회사에 출근하고 아이들을 학교에 등교시키면서 서둘러서 사찰로 향했다. 오늘부터 백일기도 시작이기에 대웅전에 들어가서 부처님께 삼배를 하고 나오자 공양주 보살님이 부르며 도와달라고 했다. 처음에는 아무것도 몰라서 물었다.

“저는 오늘부터 백일기도 하려고 왔는데 법당에서 기도해야 해요”라고 했더니 공양간에서 봉사하는 것도 기도라며 시래기나물 껍질을 벗겨달라고 해서 어쩔 수 없이 사시기도에 참석하지 못하고 도와주었다. 점심시간에는 상차림과 설거지를 도와주고 하루 종일 시래기나물 껍데기를 다 벗겨주고 내려왔다.

다음 날도 사시기도에 참석하려고 했더니 공양주 보살이 또다시 도와달라고 했다.

이번에는 부처님 전에 마지 밥을 퍼서 올리는 방법을 가르쳐 주더니 직접 올리라고 해서 생전 처음으로 부처님께 마지공양을 올렸다. 삼배를 하고 계단으로 내려오는데 뭐라고 표현 못 할 정도의 공경심이 생기기 시작했다. 기도 끝나고 나서 점심공양 차리는 것을 도와주고 설거지를 마치고 내려왔다.

3일째 되는 날은 부처님께 삼배를 올리고 내려와서 오늘은 무엇을 해야 되나요? 물었더니 공양주 보살이 기다리고 있었다면서 스님들 상차림을 도와달라고 했다.

주지스님, 기도스님, 선방스님 공양그릇을 알려주고 손님용 공양그릇은 따로 보관한다면서 오늘은 스님들 상차림을 해 보라고 가르쳐 주었다. 기도가 끝난 후 점심공양을 마치고 내일 점심 공양할 나물을 다듬어 달라고 해서 마무리하고 내려왔다.

4일째 되는 날도 부처님께 삼배를 올리고 내려왔는데 공양주 보살이 안 보였다.

종무소에 가서 봉사하는 동갑내기 신도한테 물었더니 어제 저녁에 갑자기 회향했다고 한다.

나는 당황했지만 어쩔 수 없이 혼자서 점심공양을 준비해야만 했다.

사시기도 시간에 맞춰 부처님께 마지공양을 올리고, 스님들 점심공양을 준비하면서 기도하는 보살님들 점심공양까지 해야만 했다.

기도가 끝난 후 점심공양을 마치고 설거지는 기도하는 보살님들이 도와주었다.

설거지가 끝난 후 법당에 올라가서 청소를 하고 내려와서 집으로 돌아가려고 하는데 발걸음이 떨어지지 않았다. 종무소에서 봉사하는 신도는 바쁜 일이 있어서 내려가고 스님들 저녁공양을 준비할 신도가 없었기 때문이다.

나는 법당에 올라가 무슨 뜻인지 모르지만 사시기도 할 때 독송하는 천수경을 읽어보고 바구니에 있는 108염주를 꺼내 돌려도 보았다.

부처님 앞에서 몇 번 했는지 모르지만 절을 하다 보니까 숨도 차고 다리도 아팠다.

처음으로 법당에서 기도했던 나의 모습이다.

저녁시간이 다 되어서 스님들 공양을 해드리고 설거지를 마치고 나오는데 기도 스님이 고맙다고 합장을 해 주어서 내 마음은 무척 좋았다.

그런데 사흘 동안 주지스님은 아무 말씀도 안 하시고 빙긋이 웃음만 보이셨고 합장만 해 주셨다.

꿈속에서 금빛 불상 세 분 부처님을 보았다. 친정아버지는 왜 나에게 부처님을 바라보라고 했을까?

꿈에 본 사찰에 도착하자마자 기도 스님은 왜 무조건 기도해야 된다고 했을까?

알 수 없는 힘에 이끌려 백일기도를 올렸다. 그런데 첫날부터 법당에서 기도할 수 없었다. 공양간에서 봉사만 하고 왔다. 그 다음 날부터 연이어 공양간에 있는 공양주는 왜 부처님께 마지공양을 올리라고 했을까? 그리고 스님들 상차림까지 가르쳐 주었을까?

그런데 사흘 동안 주지스님은 왜 아무 말씀도 안 하시고 웃음만 보이시고 합장만 해 주시는지 의문이 생겼다.

법당보살이 되다.

오늘도 아침 일찍 서둘러 사찰에 올라갔다.

누가 시킨 것도 아닌데 당연한 듯이 공양간으로 가보니 칠십이 넘은 노보살님이 계셨다.

가끔 공양주 보살이 없을 때 마을에 살고 있는 노보살님을 부르셨다고 한다.

오래전부터 노보살님은 공양간 살림을 했었기에 익숙했지만 나이가 많아 힘들다고 해서 도와주어야만 했다.

나는 초보 불자라서 사시기도에 동참하여 기도만 하면 되는 줄 알았는데 봉사하는 것도 기도이며 큰 공덕을 짓는 것이라는 말을 처음 들었다. 점심공양이 끝나고 내려오려고 하는데 노보살님이 불렀다. 내일이 초하루라서 시장을 봐야 하는데 주지스님께 결제를 받아야 한다고 해서 시장 볼 목록을 적어서 보여드렸더니 결제를 하시면서도 수고했다는 말 한마디라도 할 줄 알았는데 한마디도 안 하셨다.

야채 가게에 주문해 놓고 내려오면서 왜 주지스님은 한마디 말씀도 안 하실까?...

처음 맞이하는 초 하룻날.

공양간에 가보니 보살님 세 분이 오셔서 나물을 다듬고 있었다. 초하루, 보름, 관음재일 때만 봉사해 주는 보살님이라고 해서 너무 기뻤다. 사실 사찰에 올라오면서 어떻게 해야 할지 걱정을 하면서 왔기 때문이다.

나물을 손질하면서 초심자라고 하니까 보살님들이 사찰에서의 예의범절을 가르쳐 주셨다.

우선 법당에 모셔둔 부처님 상호를 알려주며 가운데 계신 분이 석가모니 부처님, 좌측에는 약사여래불, 우측에는 지장보살님, 좌로 서 계신 분이 보현보살님, 우측은 관세음보살님, 탱화에 계신 분들이 신중전, 나한전, 칠성전, 산신전, 영단이라고 설명해 주셨다.

그리고 법당에 들어갈 때 가운데 문은 어간이라면서 스님들이 다니시는 문이고 보살들은 좌측, 우측 문으로 다녀야 한다는 설명도 해 주었다.

그리고 법당에서 기도하는 것도 좋지만 공양간에서 공덕을 짓는 것도 기도라면서 새로 공양주 올 때까지 노보살님 도와서 스님 공양을 해드리라고 했다.

"네 알겠습니다. 가르쳐주셔서 감사합니다" 하고 열심히 일을 도왔다.

다음 날 신중기도는 사흘기도를 하기 때문에 신도들이 몇 분 오셨고 부처님께 마지공양을 올리고 점심공양 준비를 하면서 스님공양을 준비하고 있는데 선방스님이 오셔서 노보살님이 차려주는 공양은 안 드시겠다고 하면서 나가셨다.

점심공양 때 정말로 안 오셨다. 어떻게 해야 하나 망설이고 있는데 주지스님이 따로 상 차려 드리라고 하셔서 문 앞에 갖다 놓고 "스님 공양 드세요" 하고 나왔다. 잠시 후에 갔더니 공양 드시고 문 앞에 내 놓으셨다.

이렇게 나는 공양주가 되었다.

매일같이 점심, 저녁으로 선방스님 공양을 준비해서 문 앞에서 "스님 공양 드세요"하고, 다 드신 후 내 놓으시고, 후식으로 "과일 드세요"라고 하고, 빈 접시를 문 앞에 내놓으시고 말씀 한마디도 없었다. 이렇게 두 달 정도 지나자 문밖으로 나오시더니 검은 봉지에 과일을 담아서 애들 갖다 주라고 하면서 그동안 고맙다고 합장을 해주셨다.

선방스님의 목소리를 두 달이 지나서야 듣게 되었지만

기분은 너무 좋았다.

노보살은 재 음식 하는 방법을 하나씩 가르쳐 주면서 나물은 간장, 소금, 깨소금으로만 무치고, 전 부치는 방법까지 자세하게 설명해 주면서 직접 해보라고 해서 재 음식 하는 방법을 배우게 되었다.

기도스님은 법당으로 부르시더니 상차림을 가르쳐 주시며 앞으로 재 있는 날은 직접 차려 놓으라고 하셨고 두 달 동안 매일같이 법당 청소하고 다기 물 새로 올리고 내려와서 점심공양 준비하며 사시기도 때 마지 공양을 올리고 내려와서 스님들의 점심공양 차려놓고 기도하러 온 신도들 공양을 준비하였다.

두 달 동안 공양주 역할을 하면서 봉사를 하고 있었다. 그러던 어느 날 기도스님이 새로 오셨는데 법당에 가서 바라지를 해 보라고 하셨다.

"스님 저는 두 달밖에 안 된 초심자라서 아무것도 모릅니다."라고 말했더니 무조건 하라고 하셔서 어쩔 수 없이 재 의식에 참여하게 되었다.

49재중 3재라서 재주 분들이 몇 분 안 오셨기에 다행이라고 생각하면서 바라지를 했다.

그런데 처음 듣는 염불 소리임에도 알아들을 수 있었고

기도스님 눈빛만 보아도 어떻게 해야 되는지 순서대로 나도 모르게 하고 있었다.

재 의식이 끝나고 기도스님이, "보살님은 이제 공양주 역할은 그만하고 법당에서 인연공덕을 쌓아야 하는 법당 보살을 해야 합니다"라고 말씀하시면서 웃으셨다.

"보살님은 염불 소리를 알아들을 수 있을 것 같아서 한 번 해보라고 했는데 의식의 순서까지 아는 것을 보니 전생에 인연이 있었네요." 하셨다.

나 자신도 믿을 수가 없었다. 이 사찰에 온 지 두 달밖에 안 된 초심자이면서 법당에서 기도도 못 해보고 공양간에서 일만 했을 뿐인데 염불 소리를 알아들을 수 있다는 것에 놀라지 않을 수 없었다.

49재 중 7재 회향하는 날,

이전에 회향하신 기도스님이 준비하는 것을 한번 보았을 뿐인데 관욕실과 반야용선 꾸미기까지 했다. 재 의식이 시작되자 기도스님이 관욕실에 들어가서 하라고 수신호를 보내셨다. 그 순간 귀문이 열린 것처럼 염불 소리가 들리기 시작하면서 진언에 맞추어 향을 피우고 위패를 모시고 지 옷을 태우는 순서까지 다 하고 있지 않은가?

모든 재 의식이 끝나고 재주 분들이 공양을 마치고 내

려가면서 고맙다고 인사를 하는데 갑자기 눈물이 핑 돌았다. 알 수 없는 환희심이 생기기 시작했다.

그러나 나는 4남매를 키워야 하는 엄마이고 맞벌이를 해야만 하는데 절에서 오랫동안 봉사할 수 없다고 기도스님께 말씀드렸다.

두 달 동안 공양간에서 봉사를 했는데도 아무런 말씀 없으시던 주지스님이 부르셨다.

보이차를 마시라고 주시면서 처음으로 주지스님과 마주앉아 법문을 들었다.

"맑은 물에는 물고기가 살 수 없듯이 보살님은 너무 맑아서 주위에 사람이 없고 겉은 강해 보이나 속은 약해서 상처를 많이 받는다."라고 하셨다. 상처를 치유하지 않으면 건강을 잃을 수도 있고 강한 칼은 쉽게 부러지고 부드러운 칼은 휘청거릴 뿐 쉽게 부러지지 않는다고 하시면서 겉으로는 부드러움을 보이고 안으로는 강해져야 한다는 '외유내강'의 법문을 하시면서 인연공덕을 쌓았으면 좋겠다고 하셨다. 아이들은 부처님이 돌봐 줄 테니까 아무런 걱정하지 말고 법당보살을 하라고 하셨다. 조금은 망설였지만 거절할 수 없어서 법당보살이 되기로 했다.

법명을 "여여심"이라고 지어주시고 마침 본찰인 용주

사에서 보살계 수계 법회가 있어 보살계에 참석하여 수계를 받았다.

주지스님과의 인연은 3년 전에 시작되었다. 보적사로 부임해온 지 몇 달 안 되어 친정아버지 49재를 주지스님께서 직접 해 주셨고 나를 기억한다고 말씀하셨다. 백일기도 처음 시작한 날 주지스님 뵈었을 때 반가웠지만 주지스님이라서 가까이 다가서기가 어려웠었다.

불교에 대해 아는 것이라고는 반야심경을 외울 수 있다는 것뿐이었다. 반야심경이 무엇을 의미하는지도 모르고, 기초 상식도 전혀 없었다. 그런 내가 법당보살이 되었다.

주지스님은 왜 초심자인 나에게 소임을 주셨을까? 아무것도 모르는 나는 부처님 시봉할 수 있다는 것만으로 행복했다. 처음 듣는 염불 소리가 무슨 의미인지를 들을 수 있다는 것도 신기한 일이었다. 기도스님 말씀대로라면 전생에 인연이 있었던 것일까?

보이지 않은 영가들을 위해 바라지하게 되면서 무슨 이유인지 모르지만 그저 행복했다. 바로 환희심이라고 한다. 아무리 바빠도 힘들지 않았고 즐거운 마음으로 일했다.

셋째 딸 임신했을 때 감기에 걸려 제대로 치료하지 못해 십 년 동안 만성비염으로 고생했었는데 어느 순간 치유가 되어 건강을 찾을 수 있게 되면서 몸과 마음이 가벼워졌다.

선방스님은 왜 갑자기 노보살님을 보고 화를 내셨을까? 그리고 주지스님은 왜 나에게 선방스님 공양을 시중들라고 했을까?

천도재를 지내다

법당보살 소임 일을 시작하면서 2주 후 친정아버지 3년째 기일이 되는 날이었다.

3년 탈상으로 천도재를 올렸는데 공양간에 계신 노보살님 꿈에 아버지가 하얀 옷을 입은 모습으로 잘 먹고 간다고 하면서 웃으며 떠나시는 모습을 보았다고 했다.

노보살님은 사돈이면서 친정 동네에 계신 아버지와 친분이 있는 분이시다. 그런데 내 꿈에는 안 보이시고 노보살님 꿈에 나타났다는 것이다.

그 이후로 몇 달 동안 시달리던 꿈을 꾸지 않고 멈추었다.

며칠이 지나 사시기도 끝나고 법당 청소를 하고 있는데 어느 보살님이 혼자 앉아서 간절하게 기도를 마치고 "법당 청소 도와 줄까요" 하고 물었다. 나는 당연히 도와주면 좋지요. 라고 했더니 걸레로 바닥을 닦으면서 눈물을 흘리고 있었다.

"보살님, 무슨 일 있나요?" 라고 물었더니 잠시 망설이다가 사연을 얘기하기 시작했다.

2년 전부터 딸이 학교에도 수시로 결석하면서 집에도 안 들어오고 방황하고 있어서 걱정이 되어 힘들어도 누구한테 말도 못 하고 혼자 법당에 와서 기도만 하고 내려갔다고 한다.

딸이 방황하는 이유는, 아무도 없는데도 누군가 얘기하는 환청이 들리고 저녁이면 시커먼 그림자가 보이고 집에 있으면 숨이 막힐 정도로 답답하다고 하면서 밖으로 뛰쳐나가서 거리에서 헤매다가 돌아오기를 반복하면서 편하게 잠도 못 잔다고 울면서 이야기했다.

사연을 듣고 나서 주지스님하고 의논해 보라고 했더니 구내식당 운영하며 겨우겨우 먹고 살면서 식당 한쪽에 살림집을 만들어 네 식구가 잠을 자고 있어 형편이 어렵다고 한다.

나는 주지스님께 그 보살의 사연을 말씀드렸더니 상담을 해보겠다고 해서 다음 날 오후 2시쯤 법당에서 기도하고 있기에 기다리다가 마치고 나온 보살을 주지스님께 안내해서 상담을 받게 도와주었다.

상담을 받고 나온 보살의 얼굴에 화색이 돌았다. 주지스님께서 영가장애라서 천도재를 해야 되는데 형편이 되는대로 하라는 말씀을 듣고 적은 금액으로 분할해 내라고 해서 천도재를 지내기로 마음먹었다고 했다.

드디어 그 보살과 딸이 참석하여 천도재를 지내고 주지스님은 백일기도를 해야 된다고 해서 매일같이 죽비로 보살의 어깨를 내리치셨다. 한 달이 지난 후 딸이 잠을 자다가 시커먼 벌레들이 입에서 엄청나게 쏟아지는 꿈을 꾸었다고 한다. 그 이후로 환청도 안 들리고 시커먼 그림자도 안 보이면서 잠도 잘 잔다는 소식을 전해주었다.

주지스님도 좋아하셨고 나를 도와주면서 봉사하던 도반들도 함께 환희심을 갖게 되었다.

얼마 후 소문이 나서 천도재를 지내겠다는 신도들이 늘어나기 시작했다.

엄청나게 바빴다. 혼자서 바쁘게 일하는 모습을 본 보살들이 도와주겠다고 나서기 시작했다. 이젠 혼자가 아닌 여러 명의 젊은 보살들이 한 마음이 되어 서로서로 도와주기 시작하면서 조용했던 사찰에 점점 새로운 신도들이 늘어나기 시작했다.

고찰이라서 신도카드는 많았지만 재일에는 생각보다

많이 참석하지 않아 30명 정도밖에 없었다. 사시기도 때에도 2~4명 정도였는데 점점 늘어나 좁은 법당이지만 꽉 찰 정도로 많이 참석하였다. 점점 늘어난 신도로 인해 초하룻날에는 100명이 넘어서 밖에다 돗자리를 많이 깔아도 부족해서 노보살님들은 종무소와 공양하는 방에서 기도할 정도로 바빴다.

기도스님도 한 분 더 오셔서 두 분이 교대로 천도재를 지냈다.

거의 한 달에 20일은 재 의식을 할 정도로 바빴다.

매일매일 시장 볼 금액을 적어서 결제를 받아서 주문했었는데 주지스님께서 나한테 다 알아서 시장보고 주문한 후 결제를 올리라고 할 정도로 신임까지 받고 위임해 주셨다.

나를 믿어주신 주지스님께 감사하는 마음으로 불사금과 보시한 돈을 한 푼이라도 아껴 쓰며 부처님 도량에서 함부로 욕심내지 않고 검소한 마음으로 종무소 일도 했다.

두 달이 지난 후 새로운 공양주가 올라오고 종무소에 사무장도 채용했다.

선방스님도 방에서 나오셔서 대중들과 함께 공양을 드시고 사찰 분위기가 확 바뀌었다.

두 번째로 오신 기도스님은 마주칠 때마다 지금 느끼고 있는 "환희심을 절대로 잊지 마세요"라고 웃으시며 합장을 해 주시곤 했다. 두 달 동안 머무르시면서 항상 같은 말만 반복하셨다. 회향하는 날도 "환희심 잊지 말고 영원히 간직하며 기도하세요" 라며 떠나가셨다.

한 달 후 나에게 법당보살 하라고 권선하셨던 기도스님이 회향하시면서 보살님은 인연공덕을 많이 지으려면 천일기도를 해야 하고 한 사찰에서만 머무르지 말고 여러 사찰을 돌아다니면서 보고 배우고 느끼며 견문을 넓혀야 한다는 말씀을 하시면서 떠나가셨다.

다음 날 새로운 기도스님이 오셨다.

법당에 올라오셔서 첫 인사를 드렸더니 "보살님은 이 법당에 계신 부처님과 닮으셨네요." 하면서 웃으셨다. 부처님과 같은 마음으로 살라고 하신 것이라는 것을 알 수 있었다.

그 이후로 나도 모르게 법당에 들어오면 엄숙해지고 발자국 소리도 안 들리게 걸으면서 즐거운 마음으로 열심히 일을 했다.

법당을 하루에 두세 번씩 청소하면서 부처님과 항상 같이 있다는 것이 너무나 행복했다.

기도스님은 항상 부처님 마음으로 기도하며 살라고 당부하시곤 했다. 두 달 동안 호흡을 맞추며 재 의식을 했었는데 인연이 다 되어 또다시 회향하셨다.

며칠 후 새로운 기도스님이 오셨다.

이번에는 법명인 '여여심'만 부르셨다. 마주칠 때마다 '여여심'만 계속해서 부르셨다.

하루에도 몇 번이고 마주쳐도 '여여심'이라고 부르시며 시간 날 때마다 다정한 말씀으로 미소를 지으시면서 법문을 많이 해 주셨다.

부처님도량에서 봉사할 수 있는 인연공덕을 감사하는 마음으로 받아들이고 언제나 변함없는 마음과 어떠한 어려움이 닥쳐도 흔들리지 말라고 당부하셨다. 두 달 후 기도스님이 회향하면서 하시는 말씀이 항상 한결같은 마음으로 변하지 말고 기도하세요. 하고 합장하면서 또다시 떠나가셨다.

며칠 후 새로 오신 기도스님은 중앙승가대학 다니시는 학승이셨다.

뒤늦게 출가 결심하고 공부하는 중이라고 하셨는데 인

품이 돋보였고 경상도 사투리임에도 학식이 높은 스님처럼 보였다. 스님과 호흡을 맞추면서 재를 지내고 시간 날 때마다 경전을 많이 보고 읽으라면서 지장경을 주시면서 당부하셨다.

두 달 후 회향하시면서 '멀지 않아 이 사찰하고 인연이 끝나면 꼭 불교 공부를 하세요. 이제는 봉사활동은 그만해도 됩니다. 부처님의 설법을 배우려면 경전을 많이 보고 듣고 독송하면서 공부를 해야 합니다.' 라고 당부하며 회향하셨다.

그 이후 처음으로 시간 날 때마다 법당에 있는 관세음보살보문품, 지장경, 금강경을 한 권씩 꺼내어 읽어 보았다. 무슨 뜻인지 모르지만 많이 읽으라고 하셨기에 무조건 읽기 시작했는데 이상하게도 마음의 여유가 생기면서 성격이 차분해지는 것을 느낄 수 있었다.

법당보살이 된 후 친정아버지 3년 탈상으로 천도재를 지냈다. 그 이후로 조상님이 꿈에 안 보였다. 그리고 얼마 후 딸의 영가장애로 고통 받아 힘들어 하는 보살과 인연이 되어 천도재를 지낸 후 딸이 장애를 극복하고 경기도 모델대회에서 대상을 받아 특별전형으로 인하대학교에 입학하게 되었다. 생계로 운영했던 구내식당이 공장 부지로 선정돼 보상받아 아파트를 사서 이사도 가게 되었다고 한다. 과연 조상님이 도와주신 걸까?

1년 6개월 동안 사연 많은 가족들을 만나면서 나의 상처를 치유할 수 있었고, 살아있음에 감사하며 보이지 않는 영가들을 위해 지극 정성으로 바라지하면서 기도를 했다.

그리고 2개월마다 기도스님이 새로 오셔서 한 구절씩 법문을 해 주시고 떠나가신 이유가 무엇일까?

여동생의 죽음

여동생이 많이 아프다고 제부한테서 전화가 왔다.

여동생은 충남 부여에 살고 있어서 가족들 모두 친정어머니를 모시고 내려갔다,

자궁암 진단을 받아서 수술을 했었는데 암이 재발되어 더 이상 희망이 없다는 진단을 받고 퇴원해서 집으로 간지 얼마 안 되어 위급한 상황이었다.

여동생은 힘없는 목소리로 '언니 왔어?' '그래 언니 왔어. 미안해 늦게 와서.' 우리 자매는 더 이상 말을 할 수가 없어서 눈물만 흘리고 있었다.

엄마, 남동생, 형부, 조카들 이름을 부르면서 가족들을 둘러보더니 '보고 싶었어.' 라고 눈인사를 하면서 희미한 목소리로 말을 하더니 곧바로 잠에 빠졌다.

한동안 머무르다가 친정어머니는 여동생을 돌보겠다고 해서 남겨두고 남동생과 우리 가족은 되돌아서 올라오고 있었는데 친정어머니한테서 전화가 걸려왔다. 여동생이

엄마 품에서 눈을 감았다고 하면서 울고 있는 목소리가 들렸다. 그 길로 다시 여동생 집으로 향해서 되돌아 내려갔다.

여동생은 가족들이 보고 싶어서 기다리고 있었던 것이다. 마지막으로 가족들을 보고 이름을 부르면서 죽음을 받아들인 것 같았다.

여동생한테 무심했던 나 자신이 원망스러웠다. 내가 힘들고 살기 바빠서 허리 아프다고 전화했을 때 병원에 가서 진료 받아보란 말만 하고 같이 병원에 갈 생각을 못했다.

여동생은 한의원 가서 침만 맞으며 참고 있다가 뒤늦게 종합병원에 가서 말기 암 선고를 받았던 것이다.

(지금 이 글을 쓰면서 잊고 있었던 슬픔이 복받쳐 올라오고 눈물이 나서 한참 펑펑 울었다.)

사돈집 가족들이 다 모여서 장례를 치르고 여동생 위패를 큰댁에서 다니는 절에 모셔놓고 올라왔다.

일주일이 지난 후 사찰에 올라갔더니 주지스님이 이제는 봉사를 그만해도 된다고 해서 얼떨결에 회향을 하게 되었다.

멀지 않아 인연이 끝날 것이며 이제는 불교 공부를 해

야 된다는 기도스님으로 다녀갔던 학인 스님의 말이 현실이 되었다.

1년 6개월 동안 보적사와의 인연을 뒤돌아보았다.

보적사에서 봉사하니까 친정어머니가 옛날이야기를 해주셨는데 보적사와의 인연은 아주 오래전부터 시작된 것이었다.

6.25사변 때 작은 할아버지가 주지스님이셨다고 한다. 청년시절에 아버지는 스님이신 작은 할아버지를 시봉하고 봉사하면서 공덕을 쌓으셨던 사찰이었다. 지금은 수돗물도 나오고 LPG로 난방과 공양간에서 음식을 만들 수 있지만 예전에는 물이 없어 절 아래에 있는 우물에서 물을 지개로 나르고 난방으로 쓸 나무장작을 쪼개는 등 매일같이 일을 하면서 작은할아버지를 시봉하면서 젊은 시절을 보냈다고 한다.

친정아버지 대를 이어서 내가 봉사를 하게 된 것도 인연이라고 하셨다.

스님이신 작은 할아버지는 그 당시 많은 전쟁고아들을 사찰에서 돌보며 공부를 가르치셨는데 출가한 스님도 두 분 계시고 고아들을 결혼시켜 가정을 이룰 수 있게 보살펴 주셨다고 옛날이야기를 해 주셨다. 법당보살 소임을 보고 있을 때 노보살님들은 스님이신 작은할아버지를 기억한다며 덕망도 높으시고 인자하신 스님이셨다면서 나의 손을 잡고 손녀딸이 와서 봉사한다고 무척 예뻐해 주셨다.

그리고 잊지 못할 경험과 추억도 많았다.

처음에는 아무것도 모르는 나에게 절에서의 예법과 용어들을 가르쳐주신 보살님들도 계셨고, 혼자서 열심히 하는 모습을 보고 언니인 보살들이 한 명 한 명 모여서 여러 명이 되어 교대로 돌아가며 도와주면서 봉사를 해 주었다.

때로는 스님 공양을 걱정하면, 밑반찬을 만들어 오고 시장에서 야채들을 사다가 보시하고 재가 많은 날은 늦게까지 남아서 도와주고 같이 내려가서 맛있는 저녁도 사 주었다.

초파일 전에 연꽃등을 만들었는데 나는 처음이라 잘 몰라서 꽃잎만 만들고 있으니까 기도스님이 한지로 속지 붙이는 방법과 꽃잎을 붙이는 방법을 자세히 설명해 주셔서 연꽃등을 만드는 것을 배울 수 있었다.

처음 맞이하는 초파일에도 도반 언니들과 같이 시장을

보았고 많은 신도들이 봉사를 해 주어서 행사를 무사히 마칠 수가 있었다.

내 생애 처음으로 초파일에 사찰을 찾아오는 신도들을 위해서 큰일을 했다는 자부심과 환희심을 느끼는 순간이었다. 비가 오나 눈이 오나 하루도 빠짐없이 기도하는 마음으로 1년 6개월 동안 단 한 번의 의심도 없이 일심으로 부처님을 바라보며 시봉하고 보이지 않은 영가들을 위해 인연 공덕을 쌓을 수 있었다.

1년 6개월 동안 즐겁고 행복하게 인연 공덕으로 봉사할 수 있었던 것도 도반 언니들 덕분에 수월하게 할 수 있었던 것이다. 이 글을 통해서 다시 한번 감사드리고 싶다.

보적사에서 회향하자마자 도반이었던 언니가 수원사에 가서 기초교리공부를 하라고 권선해 주면서 같이 기도하자고 하였다.

그동안 꿈을 안 꾸어서 편안하게 잠을 잘 수 있었는데 보적사에서 회향하는 날부터 꿈을 꾸기 시작했다. 법당을 향해 합장을 하고 나오는데 법당에 계신 부처님이 따라 나오셨다. 해탈문을 나서면서 언덕길을 내려오는데 계속해서 따라 내려오시는 모습을 보고 왜 따라 나오시지 하면서 잠에서 깨어났다.

며칠 후 수원사에서 기초교리 수강한다는 소식을 듣고 접수를 하고 왔다.

그날 밤 꿈속에 키가 크고 회색승복을 입은 스님이 수원사 도량을 꽉 채우고 하늘 높이 우뚝 솟은 모습을 보았지만 얼마나 컸는지 얼굴은 볼 수 없었다.

왜! 또다시 꿈을 꾸는 이유가 무엇일까?

돌아가신 시아버지 꿈으로 시작하여 내 운명의 소용돌이가 시작되면서 수많은 시련과 부딪치며 허우적거리며 살다가 조상님이 꿈에 보이기 시작하면서 노스님을 만나 처음으로 반야심경을 배우고 사경하며 어느새 외울 수 있게 되었다.

또다시 돌아가신 친정아버지를 꿈속에서 만나 보적사 도량에 계신 부처님과 인연을 맺게 해주셨다. 잠시 인연이 되었던 스님께서는 꿈에 너무 집착하지 말라고 하셨지만 이상하게도 계속해서 꿈을 꾸었고 나도 모르게 내 마음이 꿈속을 따라다녔다.

평범한 일상으로 한 가정의 엄마이자 맏며느리로 살다가 하루아침에 운명의 갈림길에서 폭풍이 불어 죽음의 문턱에서도 다시 살아났다. 모진 비바람을 맞으며 고통의 길을 선택이 아닌 불행이라는 덫에 걸려 헤매다가 마침내 부처님법의 인연을 만난 것이다.

나의 어리석음을 깨우쳐주기 위해서 법당보살 소임을 주셨고 보이지 않은 영가들을 위한 인연공덕이 나에게 머물렀던 불행의 씨앗이 희망이라는 씨앗으로 바뀌면서 마음의 상처를 치유할 수 있었다. 이젠 세상 밖으로 나가도 더이상 두렵지도 않을 자신감을 갖고 살아가라는 가피를 받은 것 같다.

여동생의 죽음으로 인하여 법당보살 소임을 내려놓게 되었다. 인연이란 무엇일까? 모든 인연에는 오고 가는 시기가 있다고 한다. 헤어짐도 마찬가지이다. 헤어지는 것은 인연이 딱 거기까지이기 때문이라고 한다. 잠시 머물렀던 시간을 다시 한번 뒤돌아 볼 수 있게 되면서 새로운 인연을 만나러 가는 중이다. 어떤 만남이 될지 모르지만 불교의 기초교리를 배울 수 있는 기회가 찾아왔다. 부처님의 생애와 설법을 듣고 배울 수 있는 길이다.

수원사에서 기초교리를 배우다

드디어 불교 기초교리를 배운다.

큰 법당 안에는 기초교리 배우러 온 신도들이 엄청나게 많았다.

첫 시간은 오리엔테이션으로 입교식을 하고 사찰예절 및 기초수행법을 배웠다.

삼법인, 사성제, 법, 팔정도, 12연기, 중도 등 기초교리를 배웠으며 부처님의 생애와 불교경전 형성과 반야심경의 사상과 108배 수행법을 배우기도 했다.

같이 공부한 도반들과 모임도 만들어 즐겁게 지내면서 연등도 만들었다.

기초교리가 끝난 후 큰딸을 위해 수능 관음기도를 총무스님의 집도하에 법당에서 시작했다. 불자가 된 지 20개월 만에 처음으로 법당에 앉아 사시기도에 동참하게 된 것이다.

소임이 아닌 평범한 불자로 총무스님과 천수경을 독송

하면서 기도를 할 수 있다는 것이 새삼스럽게 느껴졌다. 봉사할 당시 밖에서만 들었던 천수경을 직접 스님과 운율에 맞춰 독송한다는 것이 행복했다. 총무스님이 지극 정성으로 기도해 주시는 염불 소리에 내 마음의 심금이 울리기 시작했고 하루도 빠지지 않고 총무스님의 염불 소리를 듣고 싶어서 사시기도에 동참했다.

그러던 어느 날 갑자기 총무스님의 염불 소리가 안 들리기 시작했다. 이상하다고 생각하면서도 내가 잠시 졸고 있었나 보다 생각하면서 다음에는 열심히 하겠다고 마음먹었다.

다음 날 마음을 가다듬고 기도하려고 했는데 또다시 염불 소리가 안 들렸고 그 다음 날도 똑같은 현상이 반복됐다.

왜 이럴까? 의심을 품었지만 내일은 들리겠지 하는 마음으로 사시기도에 동참했지만 똑같은 현상이 일주일 동안 계속 반복되었다.

그 순간 나도 모르게 두 손 모아 합장을 하고 관세음보살, 관세음보살, 관세음보살님 하고 부르는 순간 알 수 없는 마음이 일어나면서 관세음보살님께 약속 발원을 하게 되었다.

"앞으로는 작은 일에 연연하지 않고 큰 그림을 그리면서 살겠습니다."

"관세음보살님이 이끌어 주시는 대로 살겠습니다."

"삼보에 귀의하며 살겠습니다."

관세음보살님께 약속 발원을 하는 순간 신기하게도 염불 소리가 들리기 시작했다.

지극 정성으로 기도하시는 총무스님의 염불 소리는 다시 한번 심금을 울리기 시작하면서 다음 날도 사시기도에 동참했는데, 이번에는 말문이 막혀서 어떠한 발원도 할 수 없었다.

그 이후로 법당에 들어서면 말문이 막혔고 어떠한 발원도 할 수 없게 되어 묵언기도가 시작되었다. 사시기도 끝난 후 공양을 마치고 우연히 창작 등을 만드는 보살들이 보였다.

수원사로 권선해 준 도반 언니가 "너도 한번 만들어 봐" 하면서 따라 들어오라고 손짓을 했다. 처음이라서 어떻게 해야 되는지 몰라 구경만 하고 있다가 호기심이 생겨 만들어 보았다.

도반 언니가 만드는 방법을 설명해 줘서 배접을 다 하

고 연꽃 그림을 그리고 색칠하는데 생각처럼 쉽지 않았다. 연꽃선 밖으로 분홍색이 퍼지기 시작해서 당황하고 있는데 총무스님이 다가와서 “보살님, 물이 너무 많으면 퍼져요.”라고 설명해 주셨다. 총무스님과의 첫 대화였다. 연등행렬에 참석하려면 2개를 만들어야 된다고 해서 서툴지만 완성하여 연등행렬에 처음으로 참석했던 추억도 있다.

맞벌이를 해야 하는 가정 형편 때문에 계속해서 사시기도를 할 수 없게 되어 새벽기도를 해야겠다고 마음먹고 새벽 4시에 일어나 법복을 입고 수원사로 향했다.

아침 예불 시간이 5시라고 해서 부지런히 달려갔다. 행자스님이 도량염불을 하며 돌고 있었고 법당에 들어섰는데 몇 명의 신도들이 벌써 와서 기도하고 있었다. 나는 맨 뒤쪽에 앉아 있었는데 스님 한 분이 들어와서 종송 염불을 하면서 마칠 무렵 다른 스님들이 법당 안으로 들어오셨다. 그중에 총무스님도 계셨다.

총무스님이 지극 정성으로 새벽 예불하시는 염불 소리는 또다시 내 마음속 깊이 심금을 울렸고 매일같이 염불소리를 듣고 싶어서 열심히 기도를 하게 되었다.

어느 날 기도를 마치고 나오는데 주지스님이 도량을 서

서히 걷는 모습을 보았는데 달빛 아래에 비치는 용안에 광채가 흘렀다. 다음 날도 똑같이 도량을 걸으시는 뒷모습은 기품이 있었고 용안은 더욱더 광채가 흐르는 모습을 보았다.

10년이란 세월이 흘러 다시 만나는 인연이 되리라고는 생각조차 못했다. 그 당시에는 백일기도만 하면 된다는 생각만 했었고 멀리서 바라만 보았을 뿐 주지스님과 총무스님을 개인적으로 대화도 인사도 한 번 나누지 못했다. 멀리서 바라보았을 뿐 다가서지 못했다. 아니 평범한 불자로 조용히 기도하고 싶었다. 아마도 백일기도와 1년 동안 사찰에 다녔어도 어느 스님조차 나를 기억하지 못할 것이다. 같이 공부한 도반 몇 명만 나를 기억할 뿐이다. 어느 누구하고도 친분을 쌓지 않고 봉사활동도 참여하지 않았다. 기도가 끝난 후 사찰에 머무르지 않고 곧바로 사찰 문을 나섰기 때문이다.

매일같이 새벽기도 가는 나의 발걸음은 가벼웠고 총무스님의 심금을 울리는 염불 소리와 주지스님의 기품 있는 모습과 빛나는 용안을 보면서 백일기도를 하루도 빠지지 않고 무사히 마칠 수 있었다.

몇 달이 지난 후 먼저 이 세상을 떠난 여동생의 그리움과 죄책감에 시달려 잠을 잘 수가 없어 여동생을 위한 지장기도를 해야겠다는 생각을 했는데 또다시 꿈을 꾸었다.

스님들의 요사채만 보였다. 꿈속에서도 왜 법당이 아니고 용주사의 요사채만 보이지 하면서 의문을 품고 꿈에서 깨어났다.

다음날 용주사로 향했다. 꿈에서 본 똑같은 요사채가 있었고 대웅전에 계신 부처님께 삼배를 올리고 지장보살님을 모신 법당에 들어가 삼배를 올렸다.

아! 여기서 여동생을 위해 49일 동안 지장기도를 해야 되겠구나 하는 마음에 사로잡혀 망설임도 없이 지장기도를 하며 지장경을 독송하는데 여동생의 그리움에 하염없이 흐르는 눈물을 삼키며 끝까지 독송했다. 독송이 끝난 후 108배를 하면서 왕생극락 발원을 하였다.

다음 날도 또 다음 날도 계속해서 지장경을 독송하면서 지장기도를 했다.

일주일이 지난 후 어느 보살들이 동안거 결재일에 공양간 봉사자가 필요하다는 이야기를 나누는 소리가 들려왔다.

그 순간 지장경 7품에 나오는 영가를 위해 공덕을 쌓으면 영가에게 7분의 1이 공덕으로 간다는 구절이 생각나 봉사를 해 볼까 생각을 하면서 기도를 마치고 지장전에서 나오고 있었는데 처음 뵙는 스님이 다가와서 말씀을 하셨다.

원주스님이라고 하시면서 혹시 시간 있으면 동안거 결재일에 공양간에서 봉사를 해 줄 수 있냐고 물으셨다.

"네. 알겠습니다. 기회를 주셔서 감사합니다" 한 치 망설임도 없이 대답했다.

원주스님은 공양간을 안내해 주면서 공양주를 소개시켜 주셨는데 나이가 많이 드신 노보살님이었다. 노보살님은 내 손을 잡고서 고맙다고 하면서 반갑게 맞아 주셨다.

용주사 사찰은 중학교 시절에 소풍갔을 때 가보고 오랜만에 찾아간 사찰이다. 이상하게도 낯설지 않아 지장기도를 할 수 있게 된 것이 또 다른 인연으로 선방스님 공양을 해 드릴 수 있는 기회가 주어졌다. 여동생을 위한 기도가 결국은 나에게 선방스님들을 위해서 공양해 드릴 수 있는 공덕을 쌓으라는 뜻이었을까?

여동생이 선방스님들과 인연을 맺으라고 이끌어 준 것

일까? 왜 꿈속에 부처님도 아니고 법당도 아닌 요사채만 보였을까? 의문이 생겨 막상 용주사에 도착해 보니 꿈에 본 요사채와 똑같았다. 그리고 원주스님의 부탁으로 선방스님 공양을 해 드릴 수 있는 기회가 주어졌다.

인연이자 필연인지 모르겠지만 신도로 등록도 안 하고 지장기도만 했을 뿐인데 인연이 되어 또 다른 인연공덕을 쌓게 되었다. 그런데 이상하게도 수원사에서는 스님들 눈에 띄지 않았는데 용주사에서는 일주일 만에 스님들 눈에 띄었을까? 원주스님과 함께 부주지스님께 인사드리러 갔는데 나를 알아보셨다. 지장전에서 일주일 동안 기도하는 모습을 보았다며 기억하고 있었다. 부주지스님의 허락을 받고 동안거 결재일에 선방스님들 공양봉사를 하게 되었던 것이다.

제 3 장 선방스님들과 새로운 인연

동안거 결재일에 선방스님들 공양

동안거 결재일 전날부터 야채를 손질하면서 공양을 준비해 놓고 다음 날 아침 일찍 일어나 용주사로 향했다.

공양주 소임을 맡은 노보살님이 준비한 야채를 삶아서 무쳐놓고 나물을 볶으라고 지시해서 시키는 대로 하면서 점심공양을 해 드리고 저녁공양을 준비했다.

다음 날도 똑같이 지시하는 대로 했는데 질서가 안 잡혀 우왕좌왕하면서 해야만 했다. 점심공양 끝나고 노보살님과 커피를 마시면서 조용히 말을 건넸다.

혹시 오해하지 말고 들어주셨으면 좋겠다는 말을 먼저 건네면서 일주일씩 메뉴를 작성하면 일하기가 수월할 것 같은데 어떻게 생각하냐고 물었더니 엄청 좋아하는 표정이었다.

찌개, 국, 반찬을 매일같이 어떤 메뉴를 해야 할지 걱정을 많이 했다면서 나에게 메뉴를 작성해 보라고 말해주어서 너무 고마웠다.

일반 사람들은 반찬에 제한이 없지만 스님들의 반찬은 제한이 있어서 요리하기가 무척 힘들었고 더군다나 선방 스님들의 음식을 만드는 일이라서 더욱더 신경을 써야만 했다.

보적사에서 두 달 동안 공양주 경험이 있어서인지 많은 도움이 되었고 노보살님은 딸을 대하듯 나한테 의지하며 즐거운 마음으로 메뉴판을 보면서 훨씬 수월하다면서 기뻐했다.

점심공양 끝난 후 잠시 시간을 내서 지장경을 독송하고 내려와 저녁공양을 해 드리고 집으로 돌아왔다. 아침공양 해 드릴 음식까지 준비해 놓았기 때문에 절에서 상주하고 있는 노보살님과 젊은 보조 공양주로 일하고 있는 보살이 국을 끓여 해 드리고 점심에는 버섯전골이나 칼국수 등 각종 요리를 해드리고 저녁에는 가볍게 위에 부담 없이 드실 수 있는 음식을 만들어 공양을 해 드렸다.

김장철이라서 배추를 절이고, 시래기를 소금물에 절여서 나무에 줄을 매달아서 말리고 신도회장과 봉사하는 보살들과 함께 즐거운 마음으로 무채를 썰어 양념하고 절인배추를 씻어서 양념 속을 채웠다. 사흘 동안 김장김치 하면서 보살들과 친해졌지만 한편으로는 시기하는 보살들도 있었다. 용주사에 온 지 얼마 안 된 보살이 공양간에서 일을 할 수 있냐고 빈정대는 보살들도 있었다. 원주스님은 사람마다 근기가 다르고 몇 년을 다녔다는 것이 중요한 것이 아니라 인연이 닿았기 때문에 할 수 있는 일이라며 차를 끓여 주시면서 시기와 질투 받는 것도 업보요, 업장 소멸하는 과정의 수행이라면서 좋은 법문도 많이 해 주셨다.

어느덧 백일이 되어 동안거 해제와 동시에 정월 대보름 법회가 있는 날이어서 공양간은 분주하게 바빴다. 점심공양을 드신 후 선방스님들은 '여여심 보살님, 그동안 맛있게 잘 먹었습니다.' 합장을 해 주시며 회향하셨다. 두 번 다시 기회가 돌아오지 않을 보람 있고 행복한 시간이었다.

동안거 해제가 끝나고 신도회장과 부주지스님이 부르셨다.

수고했다고 칭찬해주면서 공양간을 이끌어 갈 보살이 필요하다고 하면서 책임질 수 있는 별좌보살을 해 주었으면 한다고 부탁하셨다.

순간 욕심이 생겨 큰 사찰에서 소임을 볼 수 있고, 스님께 인정을 받았다는 것이 좋았다.

"네. 부족하지만 한번 해 보겠습니다." 하고 바로 수락했다.

다음 날 신도회장과 같이 주지스님께 인사드리러 갔다.

주지스님께서 보이차를 손수 내려 주셔서 마시며 법문도 들을 수 있었다.

'여여심 보살님 잘 부탁합니다.' 하시면서 신도회장한테 잘 도와주라고 지시하셨다.

신도회장이 공양간 노보살님과 같이 의논하면서 일을 하라고 하면서 커피를 마시며 얘기를 하고 있는데 여러 명의 보살들이 몰려와서 한쪽에서는 지지해 주는 보살이 있는가 하면 다른 한쪽에서는 용주사에 온 지 백 일밖에 안 된 보살이 어떻게 별좌보살 소임을 하냐고 수근거리기 시작했다. 못들은 척하면서 공양주 보살과 계속해서 얘기를 하고 있는데 어느 보살이 다가와 내 옆에서 보조로 일하고 싶다고 부탁을 하기도 했다. 동안거 때 무척 하고 싶었는데 기회가 안 주어져서 못했다며 도와달라고 거듭 부탁을 했지만 '보살님 저는 아직 이 사찰에 온 지 얼마 안 되었으니 신도회장님과 의논하고 부탁해 보라'고 권했다.

잠시 후 다른 보살이 다가왔다. 동안거 때 유독 나한테 빈정거리고 쌀쌀맞던 보살이었다. 이 사찰에 오래된 보살들이 많은데 얼마 되지 않은 보살한테 소임을 줄 수 있냐고 불만을 터트렸지만 신도회장은 구업을 짓지 말라고 야단쳤고 나는 못 들은 척하며 모여 있는 보살들에게 "앞으로 잘 부탁합니다" 말하고는 집으로 돌아왔다.

집으로 돌아와 저녁을 준비하고 있는데 원주스님이 전화를 하셨다.

오늘 용주사를 떠나게 되었다고... 잘 부탁한다고... 당부의 말씀을 하셨다.

또다시 전화벨이 울렸다.

어느 보살인지 모르지만 나 때문에 원주스님이 떠나게 되었다고 하면서 화를 냈다.

처음에는 기가 막혔지만 큰 사찰에서 보살 한 사람 때문에 스님이 떠난다는 것은 말이 안 되지 않는가? 평소에도 동안거 끝나면 떠날 거라고 해서 인연이 다 되어 회향하는 것이라고 했더니 소임을 사양하라고 하면서 전화를 끊어버렸다.

밤새도록 잠도 못 자고 고민하다가 보살들 시선이 나한테 쏠린다고 생각하니까 부담스럽기도 했고 나 스스로를 바라보니 아직은 때가 아니다 라는 결론을 내렸다.

다음 날 신도회장님을 찾아가 '저는 초심자라서 소임을 보기에는 아직 부족한 것 같아서 자신이 없다'고 말했더니 잠시 후 부 주지스님이 부르셨다.

"석 달 동안 지켜보았는데 보살님이면 충분히 해 낼 수 있을 것 같아서 소임을 준 겁니다." 라고 하셨다.

"저를 인정해 주셔서 감사합니다. 아직은 너무 부족한 것이 많아 자신도 없고 아이들도 돌봐야 해서 힘들 것 같습니다."라고 표현을 한 후 죄송하다는 마지막 인사를 드리고 용주사를 떠나게 되었다.

용주사는 친정아버지가 태어난 사찰이다.

할머니는 개성에서 사셨는데 마을에 돌림병이 돌아 친할아버지가 돌아가시자 나이 어린 고모 2명과 7개월 된 만삭의 몸으로 의지할 데가 없어서 남한으로 오게 되었고 용주사에서 머무르며 스님들 옷을 만들어 드리고 공양을 해드렸다고 한다. 아버지는 용주사에서 유복자로 태어나서 龍자 株자로 이름을 지었다고 한다. 그 당시 큰 고모는 결혼했고 둘째 고모는 9살, 막내고모는 5살이었는데, 갓 태어난 아버지와 절에서 지내다가 스님이신 작은할아버지의 중매로 형님이신 할아버지를 만나 할머니는 재가를 하셨다고 한다. 재가한 탁씨 성을 가진 할아버지 호적에 고모 두 분과 아버지를 올려 키워주셨고 두 분 사이에 작은아버지 한 분이 태어났다.

초등학교 3학년 때 할아버지는 돌아가셨고 할머니는 5학년 때 돌아가셨기 때문에 할아버지와 할머니의 사랑을 받으며 어린 시절을 보냈고, 할아버지는 인정이 많고 다정하면서 자상하셨던 기억이 아직도 남아있다.

보적사에서 잠시 머물렀던 기도스님의 도와달라는 전화를 받고 일산 킨텍스 전시장 불교박람회 행사에 갔다. 행사를 마칠 무렵 처음 뵙는 스님은 나에게 다가와서 포교당 개원하는데 도와달라는 부탁을 하셨다. 전화번호를 메모지에 적어 주면서 연락을 기다리겠다고 해서 무심코 메모지를 받아서 가방에 넣어 놓은 채 깜박 잊고 있었다. 두 달이 지난 후 잊고 있었던 메모지를 발견하고 망설이다가 도반이었던 언니에게 어떻게 하면 좋겠냐고 물어보았더니 같이 찾아가서 뵙고 오자고 했다. 스님께 전화를 걸어보았는데 기다리고 있었다면서 주소를 알려주셨다. 법당은 아늑해 보였다. 사무실에는 여종무원 한 명이 근무하고 있었고 스님은 기도를 하고 계셨다. 개원한 지는 한 달 되었으며 상담 받으러 오는 사람은 있었지만 아직 신도가 없다고 하셨다. 같이 갔던 언니가 먼저 스님을 도와드리자고 해서 또 다른 인연이 시작되었다. 찾아오는 사람들에게 친절하게 상담해주면서 차츰차츰 소문을 듣고 한 분 두 분 사람들이 모여들기 시작했다. 처음에는 망설이던 분들도 신도카드를 만들고 사시기도에 동참하기 시작했다. 스님께서는 지극 정성으로 기도하셨다. 사시기도 마치고 점심공양 후 상담을 받는 신도도 점점 많아졌고 스님께서는 몇 명 안 되는 신도들을 데리고 성지순례도 시작하셨다.

그리고 은사스님인 큰스님께도 찾아가서 인사를 드렸고 큰스님께서는 고맙다고 하시면서 앞으로 잘 모시라는 부탁의 말씀을 하셨고 또 다른 상좌스님들하고도 인사를 나누었다.

얼마 후 첫 천도재가 들어왔다.

스님은 큰스님과 상좌스님들을 초청하여 천도재를 화려하게 정성껏 차려서 불공을 드렸다. 천도재를 지낸 재주 분들은 무척 만족한다고 좋아했고 보시금도 넉넉하게 넣어서 운영하는데 쓰라고 주셨다. 이렇게 첫 천도재를 지내고 나서 한 달에 두 번, 세 번씩 천도재를 지내게 되었고 신도 수도 점점 더 늘어나기 시작했다.

어느 날 큰스님께서 전화를 하셨다.

"여여심 보살! 강원도 산속에 계신 큰스님을 뵈러 같이 가요" 하면서 초청을 해 주셨다.

나는 너무 기뻐서 단숨에 "네 알겠습니다. 큰스님" 하고 대답했다.

선방스님들 공양의 인연으로 시작하여 100일 동안 공덕을 쌓고 용주사와는 인연이 다 되었는지 떠나게 되었다. 덕분에 여동생을 위한 지장기도도 마칠 수 있었다.

며칠 후 또다시 꿈을 꾸었다. 이번에는 빨간 가사를 두른 스님을 보았다. 왜 이렇게 꿈을 다시 꾸는 것일까? 궁금하던 찰나에 보적사에 잠시 머물렀던 기도스님이 하루만 도와달라고 해서 불교박람회 행사에 참석하게 되었다. 그곳에서 빨간 가사 두른 스님을 만나게 된 것이다. 피할 수 없는 또 다른 인연이 시작된 것이었다.

초심 때, 법당에서 바라지 해보라고 했던 기도스님 말씀이 생각났다. 천일기도를 하면서 한 곳에 머무르지 말고 3년 동안 여러 곳을 다니면서 견문을 넓히는 기도를 해야 된다고 하셨다.

처음에는 믿기지 않았는데 현실이 되었다.

초야에 묻혀계신 노스님과 선방스님

큰스님과 상좌 스님 두 분을 모시고 강원도 산골짜기 작은 마을을 지나서 비탈길을 따라 산 위로 올라가 보니 작은 사찰이 보였다.

작은 법당 옆 손님을 맞이하는 접대실에는 노스님 한 분이 계셨고 큰 스님은 노스님께 합장을 하시며 인사를 나누셨고, 먼저 상좌스님들이 삼배를 올리고 이어서 나도 삼배를 올리고 밖으로 나왔다. 행사가 있어서인지 마을 사람들이 바쁘게 준비를 하고 있었다.

마을 사람들에게 '제가 도와 드릴까요' 라고 물었더니 법당으로 들어오라고 해서 같이 과일, 떡 등을 부처님 전에 올렸고 공양간에 가서 음식 준비도 도왔다.

어느 한 보살님이 말했다. 이 절은 마을 사람들이 재일이 다가오면 돌아가면서 각자 공양물과 음식을 준비하고 직접 차려놓으며 기도가 끝나면 노스님과 공양을 같이 하면서 법문을 듣고 내려간다고 한다. 그리고 겉으로 봐서는 노스님이지만 법랍도 많고 옛날에 유명했던 스님이셨는데 종단을 떠나 초야에 묻혀 사신 지 오래 되었다고 한다. 그리고 정치인, 기업 총수들과 유명 연예인들도 찾아와 법문을 듣고 간다고 했다.

노스님은 일 년에 한두 번 외출할 정도로 거의 절에서 상주하시고 글을 쓰시고, 붓글씨, 그림을 그리시며 수행하셔서 마을 사람들이 돌아가며 시봉하고 있다고 했다.

법명은 세상 사람들에게 알려지지 않았지만 소문으로 듣고 찾아오는 분들이 많은 것을 보면 정말 높으신 큰스님이시구나 생각하면서 행사에 참여했다.

또 다른 스님들이 계속해서 올라오셨는데 여러 종단스님들과 기독교 목사님들도 오시고, 천주교 신부님도 한 분 오셨다. 누군지는 모르겠지만 기업 회장님이신 것 같은 몇 분이 참석하여 기도를 마친 후 공양을 하시고 노스님과 두 시간 정도 대화를 나누시더니 모두 내려가셨다. 나는 동네 분들과 설거지하면서 마무리까지 도와주고 궁금해서 참을 수가 없어 무슨 행사이기에 여러 종단 스님들과 타 종교에서까지 참석하느냐고 물어보았다. 동네 분들이 말하기를 1년에 한 번씩 행사를 하였고 한 번도 큰스님께 여쭤보지 않았지만 아마도 서로 세상 사는 이야기를 나누시리라 짐작할 뿐이라고 한다.

잠시 후 모시고 간 큰스님과 대화를 나누신 후 나를 들어오라고 부르셨다.

연꽃잎차를 주시고 "여기까지 큰스님 모시고 와서 고마워요" 직접 말려서 만든 연꽃잎차라고 하시면서 한 박스를 선물로 주셨다. 얼떨결에 당황했지만 '네, 감사합니다 큰스님' 하고 받았다. 큰스님하고 대화를 나누시며 몇 분 동안 아무 말씀 안 하시더니 법문을 해 주셨다.

'모든 인연은 때를 잘 만나야 하고 시절인연이 닿아야 한다.'는 단 한 마디 말씀뿐이었다.

그리고 큰스님 잘 모시라고 하면서 조심히 내려가라고 마지막 인사를 하셨다.

손님 맞이하는 찻방을 둘러보니 직접 그리신 그림과 붓글씨로 쓰신 수많은 명언들이 담긴 액자들이 많이 쌓여 있었고 궁금해서 여쭤보고 싶은 것이 많았지만 차마 말을 꺼내지도 못하고 마음속으로 생각만 했다. 무엇 때문에 이 산속에서 언론을 접촉하지도 않고 사시는지?

지인들만 초청해서 만나는지, 세상 사람들과 소통하면서 많은 법문을 해 주시면 좋을 텐데, 왜 초야에 묻혀 사시는지 몹시 궁금했지만 아무 말도 못하고 아쉬움만 남기고 내려왔다.

몇 시간이었지만 동네 사람들과 서로 아쉬워하며 마지막 인사를 하고 산길을 내려오면서 까닭 모를 쓸쓸함과 연민을 느끼며 가슴속에 묻어 두었다.

몇 달이 지나고 어느 날 나는 내 자신을 들여다보면서 의문이 들기 시작했다.

왜 나는 3년이라는 세월을 떠돌아 다녀야 하는가?

의문이 생기면서 도저히 일도 손에 안 잡히고 부처님만 바라보면 말문이 막혀서 아무 생각도 할 수 없었다. 며칠을 고민하다가 강화도에 머무르고 계신 선방스님을 찾아가 여쭤보았다.

"왜 저는 언제까지 한 곳에 머무르지 못하고 떠돌아 다녀야 하는지 알고 싶습니다."

"보살님은 한 곳에 머무르면 집착과 아상으로 구업을 짓게 되고 세상구경을 하면서 옳고 그름을 판단할 수 있는 공부를 해야만 하심을 할 수 있기 때문이지요.

이제는 더 이상 어느 사찰이든 머무르지 말고 아이들을 온갖 정성을 다해 키우세요.

음식 장사를 하면 많은 사람들이 맛있는 음식을 먹을 수 있게 베푸는 것이니 장사를 하면서 가끔 마음이 일어나 부처님이 생각나면 스님들하고 더 이상 인연 짓지 말고 어느 사찰에 가든지 부처님께 108배만 하고 오세요.

보살님은 3년을 떠돌아다니면서 많은 것을 보고 배웠지요. 1년이 10년이요, 2년이 20년이요, 3년이 30년이 되었으니 이제는 멈추세요."

'10년이 지나 때가 되면 좋은 인연 만날 수 있을 거라'는 선방스님의 마지막 가르침을 받고 삼배를 올리며 마지막 인사를 드리고 떠나왔다.

그 이후로 모든 인연을 끊고 평범한 아내이자 아이들의 엄마로 돌아왔다.

한식집을 운영하려면 경험이 필요할 것 같아서 홀 서빙 모집한다는 광고를 보고 취업을 했다. 매니저로 일한 경험과 칼국수 장사를 해 본 경험은 있지만 제대로 된 한식집을 운영하려면 더 많은 경험을 쌓고 배우고 싶었기 때문이었다.

불자의 삶을 회향한 후 일주일이 지나 마침 오픈한 가게가 있어서 면접을 보러 갔는데 2호점을 오픈한 사장님 인상이 아버지 같이 포근하고 후덕해 보였다.

200평이 넘어 보이는 한식집을 운영하면서 100평이

넘는 2호점을 오픈하면서 또 다른 인연이 시작되었다.

24시간 한식집이라서 정신없이 바빴고 나의 근무시간은 오전 10시부터 오후 10시까지였는데 너무 바빠서 제때 퇴근할 수가 없었다. 같이 일하는 동료들은 야간일하는 직원이 나오면 칼퇴근했지만 손님은 끊이지 않고 몰려와 일손이 부족한데 그냥 퇴근할 수가 없어서 11시~12시에 퇴근할 때가 많았다.

두 달이 지나 어느 정도 자리가 잡히고 직원들도 호흡이 맞아 일도 수월해지고 매니저 없이 사모님이 카운터를 보았는데 외손녀를 돌봐야 하는 상황이어서 사장님은 나에게 카운터를 보라고 했다.

나는 카운터를 보면서 홀 서빙도 하고 주방일이 바쁘면 주방일도 도와주었더니 주방 찬모언니는 좋아서 나에게 반찬 만드는 것부터 찌개 끓이는 방법까지 조금씩 가르쳐 주었다. 어느덧 어깨너머 배워 집에서 실습하며 가족들에게 맛을 보라고 했더니 남편도 아이들도 맛있다고 해서 차츰 자신감도 갖게 되었다.

세 번째 월급을 받던 날 사장님께 얘기했다.

'저는 4남매를 키우려면 장사를 해야 되는데 경험을 쌓으러 왔고 1년 뒤에 오픈할 계획이 있다'고 했더니 사장님은 흔쾌히 도와주겠다고 하셨다.

몸을 사리지 않고 적극적으로 일하는 모습을 보고 특별하게 생각했다면서 처음부터 식당을 운영하려면 어떻게 관리하고 직원들한테만 모든 것을 의지하지 말고 주인이 더 많이 알아야 직원도 쓸 수 있다고 가르쳐 주셨다.

사장님은 틈틈이 부위별로 고기에 대한 설명도 해 주셨고 맛도 보라고 구워주면서 맛을 알아야 손님들한테 설명해 줄 수 있다고 했다. 1년 동안 열심히 일하며 배울 수 있는 계기가 되었다.

한번 일어난 의문은 걷잡을 수 없었다. 멈출 수 없는 마음을 알고 싶어서 선방스님을 찾아갔다. 이제는 멈추어야 한다는 법문을 들었다. 그리고 10년 동안 어느 사찰에도 머무르지 말고 자녀들을 위해 장사하면서 열심히 살라고 하셨다. 어느덧 3년이 다 되어 기도를 회향하게 되었다. 그리고 아버지같이 포근하고 인정이 많으신 한식집을 운영하는 사장님과 인연이 되었던 것이다.

한식집을 오픈하다

1년 후 40평짜리 상가를 임대하여 소고기 전문 체인점을 계약해서 오픈하였다.

체임점이라 드라마, 신문 등 광고를 많이 해서인지 그 효과로 손님들이 몰려 왔다. 24시간 영업시간으로 운영하면서 직원 7명을 채용할 정도로 바빴다.

너무 바쁘다 보니 친정 올케도 가게에 나와서 도와주고 우리 딸들도 학교에 갔다 와서 도와줄 정도였다. 온 가족이 힘을 합쳐 일하면서 행복한 가정을 이룰 수 있게 되었다.

직원들도 손님들께 친절하고 성실하게 일해서 점점 단골손님도 많아지고 마음의 여유가 생기면서 부처님께 감사하는 마음으로 가까운 사찰을 찾아 20kg쌀 10포대를 부처님께 올리고 108배도 올리고 돌아왔다.

한 달에 한 번씩 딸들과 조카딸들을 데리고 전국 사찰 성지순례를 다니면서 기도하고 가끔씩 가까운 사찰에 가서 부처님께 삼배를 올리며 가게도 최선을 다해 운영하였다.

가까운 사찰에 갈 때는 항상 오후 2시쯤 부처님께 삼배를 올리고 아무 인연을 맺지 않고 기도만 하고 돌아오곤 했다.

아버지처럼 인연을 맺은 사장님은 오픈할 때부터 많은 도움을 주셨고 장사를 하다 보면 매일같이 승승장구 하다가도 내리막일 때도 있다고 하시면서 어떻게 위기 상황을 넘겨야 하는지 많은 조언을 해 주셨다.

얼마 후 다섯 살인 조카딸과 작은 조카딸을 데리고 가까운 사찰에 갔는데 2살밖에 안 되어 기저귀를 찬 상태에서도 부처님께 절하는 방법을 가르쳐 주었더니 아주 잘 따라하고는 법당에서 아장아장 걸으며 뛰어 놀았다.

그 이후로 가끔씩 재일과 사시기도를 피해서 조용한 2~3시쯤 부처님께 108배를 올렸고 당분간 신도들과 스님들과의 인연을 짓지 말라는 선방스님의 법문을 그냥 넘길 수 없어 어느 사찰에 가든 조용한 시간 때에 부처님께 108배를 올리며 다녔다.

어느 일요일 아침 날씨가 너무 좋아서 조카딸들을 데리고 야외나들이 나서면서 아이들이 좋아하는 피자와 음료

수를 사먹고 시장구경도 하고 돌아오는 길에 근처에 있는 사찰로 갔는데 조카딸들은 부처님께 삼배를 하고 법당 밖으로 나가 잔디밭에서 놀고 있었고 나는 108배를 올리고 나왔다.

어느 스님이 조카딸들에게 사탕을 주고 계셨다.

"감사합니다" 합장하고 돌아서는데 스님께서 부르시더니 '보살님 차 한 잔 드시고 가세요.' 라고 하셔서 차마 거절할 수 없어서 찻방에 가서 차를 마시며 얘기를 나누었다.

"보살님 고맙습니다. 공양미를 올려주셨다고 들었습니다." 라고 하셔서 깜짝 놀랐다.

1년 전에 가게를 오픈하면서 근처에 있는 사찰에 쌀 10포대를 부처님 전에 올렸을 때 법당에서 108배를 하고 나온 나를 공양주보살이 보았다고 하시면서 어린 아이들을 데리고 가끔씩 다녀갔다는 얘기를 들었다고 하셨다.

"신도는 아니고 어느 보살인가 궁금했었는데 오늘 만날 수 있었네요" 웃으시며 차를 건네셨다. 차를 마시며 조카딸들에게 단주를 손목에 끼워주시면서 건강하고 씩씩하게 크라고 하셨다.

"감사합니다. 스님"

차를 마시며 얘기를 하다 보니까 주지스님이라는 것을 알 수 있었다.

"보살님 다음에 또 뵙지요." 하시기에 "네 스님" 하고 합장을 하고 나왔다. 집에 돌아오는 길에 조카딸들이 손목에 낀 단주를 무척 좋아하는 모습을 보면서 흐뭇했다.

이렇게 새 사찰과의 인연이 시작되어 초파일 가족연등을 올렸다. 가끔씩 사찰에 들렀었는데 마침 신도들이 불기를 닦고 있기에 같이 앉아 닦으면서 인사를 나누기도 했다.

주지스님을 만나면 반갑게 맞아주시고, 조카딸들이 잔디밭에서 뛰어노는 것을 좋아했기에 차츰 초하루에도 참석하면서 마음에 의지처가 되어 한 달에 두세 번씩 사찰에 가서 묵언으로 앉아 부처님을 바라보다가 108배를 올리곤 했었다.

한동안 아무 일도 일어나지 않고 가게는 점점 손님이 많아서 줄을 서서 먹을 정도로 바빴다. 시간 가는 줄 모르게 하루하루를 보냈고 돈과 마음의 여유가 생기자 시의원을 지냈던 사장님이 봉사활동도 하라고 권해 동사무소 주민자치위원을 맡으면서 독거노인을 돌보는 행사도 참여하고 동네를 위한 모든 봉사활동도 열심히 참여하였다. 많은 사람들과 친분을 쌓아 서로서로 도움을 주고받으며 행복한 삶을 살기 시작했고 지난 과거의 상처를 치유할 수 있는 인연이 되어 나보다 더 어려운 이웃에게 베풀며 사는 즐거움에 새로운 인생의 서막이 열렸다.

제일 먼저 부모의 부재로 소녀가장이 되어 공부하는 학생들에게 도움을 주고자 동사무소 복지센터에 등록해서 한 달에 조금씩 생활비를 지원해 주었다. 몇 달이 지난 후 내가 후원해 준 여학생의 엄마가 돌아왔다는 소식과 고맙다는 전화를 받고 나서 가슴이 뭉클해질 정도로 기뻤고 한 가정이 다시 평화를 찾았다는 소식은 나의 지난 과거의 모습을 보는 것 같았다.

누군가에게 조금이라도 도움을 줄 수 있다는 희망으로 손님들과 친목 도모하며 장사하다 보니 어느새 단골손님이 많아지게 되었고 가게는 점점 번창하였다.

그 많은 시련을 겪으면서 이렇게 행복한 날이 오리라 생각도 못했으며 가족이 한마음이 되어 하루하루가 즐거운 날만 있을 것이라 생각했다.

그러던 어느 날 갑자기 친정 올케가 가출하면서부터 조금씩 행복했던 가정이 흔들리기 시작했다. 하루 지나 경찰서에 가출신고를 해놓고 친구들에게 연락해서 물었더니 잘 모르겠다고 해서 기다리고 있는데 인천에 있다는 소식이 들려왔다. 친정어머니를 모시고 찾아가 대화를 했으나 이혼해 달라는 말만 반복해서 조금 더 생각해 보라고 하면서 그냥 돌아왔다.

한 달 후 결국은 타협을 보지 못한 채 이혼하게 되어 가정법원에서 판결을 받고 나오는데 기다리고 있던 친정어머니가 쓰러질 정도로 힘이 없어 보였는데도 올케는 택시를 타고 떠나버렸다. 남동생은 아무 말도 안 하고 담배만 피웠고 친정어머니를 모시고 집에 도착해 보니 아무 것도 모르는 어린 조카딸들은 할머니한테 매달리며 재롱을 피웠다.

친정어머니는 내가 서운할 정도로 올케를 딸처럼 생각하며 정성을 다해 보살펴 주었는데 배신감에 그만 쓰러지고 말았다. 나는 도저히 그냥 볼 수가 없어 어린 조카딸들을 내가 키울 테니 걱정하지 말고 우리 집으로 나오라고 하였다. 조금은 안심하셨는지 억지로 울음을 참으시는 표정을 본 나는 가슴이 찢어질 듯이 아팠다.

두 명의 조카딸들이 내 품에 안겼다. 이제는 6남매를

키우는 엄마가 되었다.

친정아버지의 마지막 유언이 생각났다. 돌아가시기 전에 갑자기 동네 한 바퀴를 돌게 되었다. 평소에는 아무 말씀도 안 하셨는데 그날은 당신의 하나밖에 없는 아들을 걱정하면서 '이제는 네 걱정 안 한다. 기철이를 잘 부탁한다.' 고 하셨다. 그 당시는 '당연히 돌보겠다'고 말하고 '아무 걱정하지 마세요.'라고 했다. 그런데 갑자기 3개월이 지난 후 돌아가셨다. 아버지의 처음이자 마지막 유언이었다.

당신의 운명을 아셨을까?

그리고 부처님의 가르침을 만나 인연공덕을 쌓아서 살아가라고 인연을 맺어 주신 것일까?

어린 조카딸들이 내 품에 안기는 순간부터 나는 책임감에 더욱 손님들에게 친절하게 대하며 열심히 장사를 하였다. 우리 딸들도 전교 1등 하면서 열심히 공부하여 대학교에 입학하였고 어린 조카딸들은 언니들의 보살핌을 받으며 무럭무럭 잘 자라고 있어서 다행이라고 생각했다.

그리고 가끔씩 절에 데리고 다니고부터 부처님 보러 가

는 것을 무척 좋아했다.

어느덧 가정의 평화가 찾아오는 듯 4남매와 조카딸들은 잘 커서 걱정도 없었고 가게에 손님이 많아져서 번창하기 시작했다.

그리고 몇 달이 지난 후 이제는 정착할 수 있으리라 생각했는데 아직도 끝나지 않은 시련이 다가왔다.

하반신마비가 되다

어느 날 가게에 많은 손님들이 들이닥쳐 바쁜 와중이었는데 종업원들과 함께 홀 써빙을 하다가 갑자기 쓰러졌다. 가게 안에 있던 손님들이 놀랄 정도로 일어날 수가 없었고 남편이 안아서 방으로 들어갔는데, 발을 디디고 일어나려고 하는데 도저히 설 수 없었고 하반신 마비가 되어 감각도 없었다. 남편은 나를 안아서 차에 태우고 병원으로 가서 진찰을 받고 피검사와 CT촬영으로 확인해 보았지만 의사는 별 이상이 없고 너무 무리해서 잠시 쇼크가 온 것 같다며 근육 마사지를 받으면 조금씩 풀어진다는 진단을 내리고 약을 처방해 주며 마사지는 매일같이 받으라는 말뿐이었다.

'세상에 이런 일이'에 나올 것 같은 일이 현실이 되어 또다시 나에게 닥쳐왔다.

다음 날 목격했던 일부 손님들은 걱정이 되어 찾아오거나 전화를 해주며 한의원으로 가서 침을 맞아보라고 유명하다는 한의원도 소개해주었다. 한의사도 진맥을 짚어 보더니 혈액순환이 안 되고 근육도 뭉쳐서 풀어주어야 한다며 약침을 꾸준히 맞으라고 진단을 내렸다.

매일같이 침도 맞고 마사지도 받았지만 전혀 감각이 돌아오지 않아 거의 석 달 동안 방에서 누워 있어야만 했다. 큰 딸이 걱정되어 여기저기 수소문해서 자생한방병원에 가보라고 해서, 남편이 등에 업고 가서 진찰을 받았더니 허리디스크라는 판정이 내려졌다. 다른 한의원보다 한약 값이 3배로 비쌌지만 먹을 수밖에 없는 상황이라 한 재를 지어 먹으면서 침 한 대에 3만원이나 하는 약침을 6군데 맞았다. 처음에는 별 효과가 없었지만 의사가 권하는 대로 한약 3재를 지어먹고 일주일에 두 번씩 약침 6군데를 맞으며 계속해서 치료를 받았더니, 석 달이 지나자 조금씩 감각이 살아나면서 움직일 수 있었다. 한약을 먹어서인지 몸무게가 15키로나 늘었고 완치는 안 되었지만 한 발짝 두 발짝씩 걸을 수 있다는 것이 다행이었다. 아무것도 할 수 없는 상황에서 누워만 있으면 평생 못 일어날 것 같아서 108배를 시도해 보려고 마음먹었다.

처음에는 벽에 기대어 일어나기를 반복하며 연습하다

가 서서히 절을 시도했다. 많이는 못했지만 몇 번이라도 해 볼 생각으로 벽과 의자를 의지해 가며 엎드려 절을 하기 시작했다. 첫 날은 억지로 다섯 번 절을 했다. 다음 날은 7번, 또 다음 날도 9번, 이렇게 매일같이 한 번, 두 번 늘려가면서 절을 하기 시작하면서 감각이 없던 다리에 통증이 오기시작했고 서서히 회복되는 기분이 들었다. 하루도 쉬지 않고 절을 늘려가며 석 달이 지나 조금씩 회복되어 108배를 하게 되었다. 비록 빠르게 하지는 못하지만 1시간이 걸려도 참고 108배를 하면서부터 서서히 회복되어 스스로 설 수 있게 되었다.

부처님의 가피로 108배 수행을 하면서 석 달만에 완전한 회복은 아니었지만 내가 스스로 설 수 있고 걸을 수 있다는 것이 얼마나 행복한지 아무도 내 마음을 모를 것이다.

그 이후로 부처님께 감사하는 마음으로 집에서나 어느 사찰에 가던지 지극 정성으로 오로지 일심으로 예의 공경하는 마음으로 108배를 올리고 묵언기도만 하였다.

조금씩 걸을 수 있게 회복되자 부처님 계신 도량에 가고 싶은 마음이 일어나, 더 이상 인연 짓지 않고 다닐 수 있는 전국 사찰 성지 순례를 선택했다. 한 달에 한 번씩 조카딸들을 데리고 강원도, 경상도, 전라도, 충청도, 경기도 등 유명한 사찰보다 작은 사찰, 암자 등 발길 닿는 대로 관세음보살님이 이끌어 주시는 대로 전국 사찰을 순례하게 되었다.

불자가 된 지 짧은 시간이었지만 조계종, 태고종, 천태종만 알고 있었는데 전국 사찰을 순례하면서 여러 종파가 있음을 알 수 있었다. 종파와 상관없이 발길 닿는 곳으로 천태종, 태고종, 진각종, 법화종, 화엄종, 미륵종, 용화종, 보문종 등 여러 종파의 도량을 밟으며 비구, 비구니 스님들과 차를 마시며 종파의 유래에 대한 설명과 법문을 듣고, 108배를 올리며 다녔었다.

경상도 산골짜기에 있는 사찰에는 비구니 스님들이 텃밭 농사를 지으며 자급자족하면서 수행하고 있었고, 전라도 산속에 있는 작은 사찰이 보여 이정표를 보면서 차를 몰고 들어가 보니까 그곳에서도 비구니 스님들이 산수유를 재배하여 판매하면서 생활하고 있었고, 더운 여름이어서 젊은 비구니 스님이 산수유차를 시원하게 얼음을 넣어 주셨는데, 새콤달콤하면서 시원하게 마시니까 더위가 싹 가실 정도였다. 한 시간 정도 애기를 나누며 법문도 들을 수 있었고 산수유를 한 봉지 주시며 도량에 찾아와 줘서 고맙고 조심해서 올라가라고 하시기에 나는 법당에 들어가 적은 금액이지만 불전함에 보시금을 넣고 인사를 나누며 떠나왔다.

또 경기도에 있는 사찰에 들렀는데 그곳은 나한도량이었다. 대웅전에 가서 삼배를 올리고 나와서 밖에 계시는 나한님들을 한 분 한 분 보면서 한 바퀴 돌고 오니까 툇마루에 어느 스님이 앉아 계셨다. 합장으로 인사를 드리고 돌아서는데 부르시더니 갑자기 내 나이를 물으셨다. '병오생입니다.' 생년월일은 어떻게 되냐고 물으셔서 대답을 했더니 지금은 외롭고 힘들겠지만 앞으로도 많은 시련을 겪어야 하고 이 과정을 거쳐야만 빛을 볼 수 있을 거라며 미래에 대한 설명을 해주셨지만 반신반의하는 마음으로 "감사합니다"하고 합장을 하고 떠나왔다. 돌아오는 길에 더 많은 시련을 겪어야만 빛이 날 거라는 말씀이 마음에 걸림으로 남았다.

한 달 후 강원도에 있는 사찰을 가게 되었는데 그곳은 군인들이 지키고 있었고 신분증 확인하고 방문증을 받아야 들어갈 수 있는 사찰이었다. 가을이라서인지 울긋불긋 물들인 경치가 아름다웠고 단풍구경하면서 등산하는 사람들 속에 묻혀서 차를 몰고 산속 깊숙이 있는 사찰에 도착하였다. 그곳은 기도터로 동굴 속에 부처님을 모셨고 연등도 달려있고 신도들이 소원을 빌려고 켜놓은 촛불들이 많이 보여서 나도 조카들과 함께 소원촛불을 켜놓고 묵언기도를 하였다.

3년 동안 전국 사찰을 돌면서 어린 조카딸들이 부처님 도량을 찾아가는 것을 무척 좋아해서인지 부처님의 보살핌을 받고 무럭무럭 잘 자라는 것만 같았다. 보이지 않은 무언가가 나를 계속해서 이끌고 있는 것처럼 그 먼 곳을 다녀도 교통사고 한 번 안 나고 무사히 집에 도착할 수 있도록 보호를 받고 있다는 생각도 해본 적이 있었다.

아직은 어리지만 언젠가는 부처님의 가르침을 받고 잘 자라기를 바라면서 시간 있을 때마다 가까운 곳이든 먼 곳이든 부처님 도량을 찾아다니며 뛰어놀 수 있게 해 주려고 하였다.

어떤 이유에서든지 하반신마비로 걷지 못할 당시에 느꼈던 감정은 표현할 수 없는 고통의 시간이었다. 3개월 동안 원인을 알 수 없는 이유로 장애인의 삶을 살았다는 것과 다시 회복해서 걸을 수 있다는 것은 기적이었다. 나로 하여금 또 다른 세계를 바라볼 수 있게 해준 경험이었다. 그리고 어쩌면 조카딸들이 내 품에 안기는 순간부터 흔들렸던 내 마음과 불법을 놓치지 않도록 이어주는 징검다리가 되어 주었던 것이다.

어떠한 시련과 고통이 찾아와도 이제는 내가 살아가야 할 이유가 되었고 한계를 넘어 껴안으며 신념으로 살아가리라 마음먹었다.

삶의 목적을 찾는 것만큼 소중한 일이 없다. 누구에게나 세상에 보탬이 될 만한 구석이 있기에 내가 이 세상에 존재하는 이유가 아닐까 생각해 본다.

미래에 내가 어떤 모습으로 있을지 모르지만 내 인생에 한 번쯤은 무엇이든 도전해 보려고 한다. 지체장애인에 비하면 짧은 3개월이었지만, 하반신마비로 장애인과 비슷한 삶을 살아보았다. 그리고 다시 걸을 수 있다는 것, 몸과 마음이 건강하다는 것은 최고의 축복을 받은 인생이었다. 내가 살아가야 하는 이유가 무엇일까? 전국 사찰 성지순례하면서 여러 종단의 비구, 비구니 스님들을 만났다. 그분들의 삶을 보고 듣고 배웠다. 나의 미래는 어떤 삶이 펼쳐질지 모르지만 언젠가는 저 넓은 세상 밖으로 나아가리라 생각을 했다.

주지스님이 되신 총무스님을 만나다.

어느 날 수원사 도반이었던 언니한테서 총무스님 소식을 듣게 되었다.

청수사 주지 소임으로 계신다는 소식을 듣고 조카딸들을 데리고 찾아갔다. 스님은 기억 못하시지만 부처님께 삼배를 하고 종무소에 가서 수원에서 온 보살인데 주지스님을 뵈러 왔다고 했다. 잠시 후 주지스님이 오셔서 반갑게 맞아주셨다. 수원사에서 기도할 때 총무스님으로만 기억하다가 갑자기 주지스님이라고 하니까 조금은 어색했지만 무척 반가웠다.

스님이 주신 과일을 먹으면서 어린 조카딸들은 좋아했고, 스님하고 마주 앉아서 얘기를 한 것도 처음이었다. 수원사에서는 기도할 때 멀리서 바라만 보았을 뿐 한 번도 개인적으로 인사를 드린 적이 없었다. 주지스님이 되셨어도 처음 느꼈던 것처럼 한결같은 스님의 모습 그대로여서 좋았다. 점심공양을 마친 후 헤어질 무렵 나는 이름도 밝히지 않고 법명이 여여심이라고만 말하고 조카딸들을 차에 태우고 스님께 마지막 인사를 드리고 수원으로 향했다.

그 당시는 다시 만날 수 있다는 생각조차 못했고 또다시 찾아뵙겠다는 약속도 없이 돌아오면서 한번이나마 스님하고 대화할 수 있었다는 것으로 만족했었다.

그냥 스쳐간 인연이었는지? 꼭 만나야만 하는 인연이었는지 알 수 없었지만 보이지 않은 무언가에 이끌려 마음 가는 대로 전국 사찰을 순례하면서 미래에 어떤 인연이 기다리고 있는지 전혀 생각조차 못했다.

6개월이 지난 어느 날 어떤 손님이 식사 후에 어느 사찰에 가서 기도하면 좋은 일 있을 거라고 안내해줘서 또 다른 사찰을 찾아갔다. 대웅전에 들어가서 삼배를 올리고 나오는데 종무소에 있는 보살이 차 한 잔 하고 가라고 친절하게 대해줘서 차를 마시면서 애기를 나누며 인연을 맺게 되었다. 마침 초하루가 다가와서 초하루 기도를 올리고 21일 동안 108배를 하면서 매일같이 오후에 가서 기도를 했었다. 그런데 21일 기도가 끝난 후 몸이 아프기 시작했다.

이번에는 온몸이 몸살이 난 것처럼 열도 나면서 걷는 것조차 힘들어 병원에 갔더니 당장 수술을 해야 한다는 의사의 말을 들었다. 순간, 또다시 하늘이 무너지는 것 같았다.

왜 나는 불운을 피하지 못하고 계속해서 반복되는가? 전생에 업보가 얼마나 무겁기에 이렇게 일이 반복해서 생기는 걸까?

장에 문제가 생겨 수술 날짜를 잡고 입원해서 수술을 하기 위한 검사를 마친 후 수술실로 들어갔다. 딸들이 지켜보고 있는데 수술 중에 피가 모자라서 수혈을 하게 되었다. 다행히도 딸들과 아들의 친구들이 헌혈 증서를 많이 모아 주어서 수혈하는 데 큰 도움이 되었다고 한다.

무사히 수술을 마치고 마취에서 깨어났으나 아직도 믿어지지 않았다. 한 달이 지난 후 또다시 재수술을 해야 한다는 의사의 소견을 듣는 순간 세상이 멈추어 버렸으면 좋겠다는 생각을 했었고 두 번째 수술에서는 마취가 잘 안 되어 힘들게 수술을 했다고 한다.

몇 개월이 지난 후 또다시 수술을 하게 되었다.

이번에는 방광에 문제가 생겨서 급성으로 수술을 하게 되었고 마취에서 깨어나 보니 수술한 의사가 이제는 수

술이 잘 되었으니 더 이상 걱정하지 말라고 하면서 수술 후의 주의사항을 설명해 주었다.

그 이후로 나는 부처님과 인연을 끊고 무려 3년이라는 세월을 두문불출했다. 불교방송도 전혀 안 보고 듣지도 않고 전화번호도 바꾸며 인연 있었던 스님들과 도반들과도 연락을 끊어버렸다. 장사를 하면서 오로지 아이들과 조카딸들을 키우며 행복하게 살겠다고 다짐하면서 뒤도 안 돌아볼 정도로 열심히 살아왔다.

그러던 어느 날 작은 조카딸이 "고모 왜 절에 안 가요. 부처님 보러 가고 싶어요." 하는 순간 그 동안 가슴속에 묻어두었던 불심이 서서히 일어나기 시작했다.

수술 후유증으로 오른쪽 다리 통증과 손가락 마비 증세가 있어서 3년 동안 아무 데도 가지 못했던 것도 하나의 이유였다.

불심이 일어나는 순간부터 한 달에 한 번씩 조카딸들을 데리고 또다시 전국 사찰 성지순례를 하면서 어떠한 인연도 짓지 않고 108배만 하고 다녀왔다. 마주친 스님들의 법문을 들으면서도 감사하다는 합장만 하고 돌아섰고, 어떤 스님은 앞으로 나의 인생길을 알려주시는 스님도 계셨지만 감사하다는 표현만 하고 더 이상 인연을 만들지 않고 되돌아섰다.

이제야 마음이 한결 가벼워졌다. 오로지 부처님만 바라볼 수 있게 되었고 어떠한 유혹에도 흔들리지 않고 평온한 마음으로 기도할 수 있게 되었다.

누구에게나 부정적인 생각과 침울한 상황이 찾아올 수 있고 온갖 어려움을 겪으며 앞날을 내다볼 수 없을 때가 있다. 내가 원해서도 아니다.

소크라테스는 '세상을 움직이려면 먼저 자신을 움직여라'라고 했다. 결국 내 인생은 내가 선택하고 긍정적인 생각이야말로 현실이 되는 삶이 될 것이다.

과거는 어쩔 수 없지만 미래는 바꿀 수 있고 삶에 어떤 사연이 펼쳐질지 모르지만 확고한 믿음은 나를 세상 밖으로 안내해 줄 것이다.

내 인생의 관점을 바꿀 수 있는 기회가 주어진다면 이제는 세상을 바꾸기 위한 인생을 살아보고 싶다. 우리가 살아가는 인생의 수준은 마음의 태도에 달려 있다고 한다.

하늘의 별따기 같은 목표가 포기의 이유가 될 수 없고 시도조차 하지 않는다면 오히려 패배자 인생이 될 것이다.

절망을 희망으로 걸림돌을 디딤돌로 삼아 마음을 활짝 열고 세상 사람들 속에서 나만의 아름다운 인생을 펼칠 수 있는 날이 반드시 올 것이라고 믿는다.

내가 누렸던 삶이 여유로웠든 힘겨웠든 이제는 중요하지 않다. 분명 또 다른 인생이 기다리고 있을 것이고 한없이 고달픈 시기가 닥쳐도 그 어려움과 마음의 고통을 견뎌낼 수 있는 힘이 주어질 것이다.

부처님의 가르침은 나의 앞길을 비추는 한 줄기의 빛이 되었고 이끌어 주신 이유가 나의 꿈을 찾아서 걸어가라는 의미일 것이다. 평범하지 않은 내 삶은 어쩌면 이런 일을 통해서 누군가에게 도움이 될 수 있는 이야기일 수도 있다.

인생길을 걷다 보면 여러 갈래의 길이 있다. 보이지 않는 길도 걷다 보면 언젠가 보일 것이고, 바로 마음의 눈을 뜨면 내가 걸어가야 할 지름길이 나올 것이다.

꿈을 이루려면 내 자신을 뛰어넘어야 지름길이 나온다는 것을 이제야 알게 되어 새로운 꿈을 찾아서 내 인생길을 걸어가 보려고 한다.

부정적이고 패배적인 사고방식을 버리고 세상에 당당히 맞서 나를 찾는 날까지 한계를 극복해 나가려고 한다.

아직도 끝나지 않은 시련, 세 번씩이나 수술대에 오른 후 내 삶의 변화가 생겼다.

모든 인연을 끊어 버리고 무언가 찾으려던 방황도 끝났다. 오로지 가족과 나 자신을 위해 장사를 하면서 열심히 살고 있던 어느 날 작은 조카딸이 부처님 보러 가고 싶다고 말했다. 3년 동안 안 보고 안 듣고 두문불출했던 마음에 변화가 생겨 부처님 도량을 밟으면서 또다시 묻어두었던 불심이 일어나기 시작했다.

멈춤으로써 예전에 느끼지 못했던 새로운 세상이 보였다. 무언가에 시달리던 집착도 사라지고 몸과 마음이 한결 가벼워졌다. 오로지 부처님만 바라볼 수 있었고 어떤 시련과 장애가 와도 부정적인 생각보다 긍정적으로 볼 수 있는 마음이 열리기 시작했다.

평범하지 않은 삶은 나를 새로운 세상 밖으로 나갈 수 있도록 하는 준비과정이었다.

성철 큰스님의 가르침

4년 전 어느 날 성철스님의 명언을 보게 되면서 성철스님을 한번 뵙고 싶다는 마음이 일어나면서 가족과 함께 무작정 백련암을 찾아 내려갔다.

입구에 도착해 보니 길이 세 군데로 갈라져 있어서 등산객들이 많이 다니는 곳을 따라갔다. 어느 아주머니가 이곳으로 가면 안 되고 다시 내려가야 하는데 백련암은 스님 허락 없이 아무나 못 올라간다는 말을 했다.

나는 인터넷으로 검색하여 백련암으로 전화했다.

"수원에서 내려온 불자인데 백련암을 꼭 올라가서 성철스님 발자취를 보려고 왔습니다."

라고 했더니 전화를 받은 스님은 원주스님 허락을 받았다고 하라고 일러 주셨다.

다시 내려와 입구에 도착했더니 안내원이 절대로 못 올라간다고 하기에 원주스님하고 통화해서 허락받았다고 하니까 그제서야 문을 열어주었다.

가파른 언덕길을 올라 주차해 놓고 가지고 간 공양미를 품에 안고 올라갔는데 원주스님이 반갑게 맞아 주시면서 백련암 소개와 성철스님이 계셨던 요사채와 기도하실 때 앉아 계시던 바위를 설명해 주셨다. 공양미를 부처님 전에 올려놓고 가족들과 함께 삼배를 올리고 나는 108배를 하고 나왔다. 암자를 둘러보다가 "성철스님의 짧지만 큰 가르침"을 상좌이신 원택스님이 엮은 명언 책을 발견하고 불전함에 보시금을 넣고 돌아서는데 원주스님께서 점심공양을 하라고 하셨다. 사양하고 내려오려고 하는데 "보살님 꼭 성철스님의 생가인 겁외사를 들려서 가세요." 라고 당부의 말을 건네셨다. "네. 스님 고맙습니다." 합장을 한 후 내려오면서 해인사를 들려서 올 생각이었는데 원주스님의 당부의 말을 거절할 수가 없어서 경남 산청에 있는 겁외사로 향했다.

겁외사에 도착해서 주차장에 주차해 놓고 입구에 들어서는데 빗방울이 조금씩 떨어지기 시작했다. 가족들과 함께 입구에 서 계시는 성철스님의 사리탑에 삼배를 하고 법당에 들어가서 부처님께 삼배를 하고 나와 성철스님의 일대기를 그려놓은 벽화를 둘러보고 있는데 빗방울이 멈추지 않기에 108배를 생략하고 서둘러 나오는데 바로 건너편에 성철스님의 기념관이 엄청 크게 눈에 확 띄었다. 한번 들어가 보자고 가족을 설득하여 들어가는 순간 시커먼 비구름이 몰려오더니 폭풍우가 쏟아지기 시작했다. 기다려도 멈추지 않고 오히려 천둥번개까지 치면서 빗줄기는 더 거세게 퍼부었다. 가족들과 기념관을 둘러보면서 기다리는 동안 성철스님의 좌상 앞에서 108배를 올렸다. 살아계셨을 때는 뵙기조차 힘든 큰 분이셨을 텐데, 이렇게라도 만나 뵙고 스님의 말씀이들어 있는 책이나 영상들을 둘러보면서 조금씩 깨달음을 얻는 시간이었지 않나 싶다.

감사함을 마음속으로 표현했다.

기도를 마친 후 종무소에서 가족들 단주와 성철스님의 명언이 담겨 있는 책을 사고 더 이상 기다릴 시간이 없어 종무원에게 우산을 빌려 주차장에 가서 차를 끌고 와 가족을 태우려는 순간 장대같이 퍼부었던 비가 멈추었다.

종무원에게 우산을 되돌려 주며 감사하다고 인사를 나누고 출발하려는데 회색빛으로 몰려 왔던 구름이 걷히면서 햇살이 보이기 시작했다. 어느 순간 언제 비가 쏟아졌는지 거짓말처럼 맑은 하늘에 강렬한 태양의 빛이 반짝이고 있었다. 그 당시는 무심코 지나쳤는데 지금 돌이켜 생각해 보니 서둘러 가려고 했던 내 마음을 아셨는지 108배를 하고 잠시라도 머물렀다가 가라는 뜻은 아니었을까 짐작해 본다. 열반하신 후에도 성철 큰스님의 발자취를 느낄 수 있었고 인연이 되어 무언가 가르침을 주시려고 했던 것 같다.

옛 기억을 더듬어 보니 제목만으로도 많은 것이 느껴지는 "산은 산이요. 물은 물이요."

지금 다시 보면 또 다른 생각들과 또 다른 느낌으로 다가올 것 같은 책이다.

그 이후로 전국 사찰을 돌아다니는 방황을 멈추게 되었고 마침 막내아들이 군대에 입대하게 되었다. 허전한 마음을 달래고자 큰딸이 대학생일 때 쓰던 오래된 노트북을 발견하고 열어 보았다. 컴맹이었던 나는 마우스로 아무데나 눌러 보고 들어가서 열어보고 하다가 우연히 상담심리학이라는 글을 발견하면서 무료로 강의도 듣고 시험만 보면 자격증을 주는 검정교육학원에 등록해서 온라인 강의를 들으면서 심리학에 대한 관심을 갖게 되었다.

딸들한테 조금씩 컴퓨터 사용법을 배우면서 습득하여 온라인 강의를 듣고 민간 자격증인 심리상담사 2급 자격증을 취득했다. 그러나 얄팍한 지식으로 무슨 상담을 할 수 있겠는가 하는 의문을 품고 있었는데 마침 사이버대학이라는 광고의 창이 떠서 들어가 보았더니 많은 사이버대학이 있었고 학사졸업장을 받을 수 있다는 것을 알게 되었다. 전국 사이버대학 홈페이지로 들어가 상담심리학 전공으로 전문성 있는 학교를 선택하려고 열어보았다.

상담심리학에서 청소년상담 전공을 선택하려고 고려사이버대학교를 선택했고, 한양사이버대학도 인지도 높은 대학이라서 두 번째로 선택했는데 서울사이버대학교 홈페이지를 들어가 검색하다가 상담심리학 전공교수가 제일 많은 학교라 세 번째로 선택했다.

한참 망설이다가 큰 범위로 공부하고 싶어서 전공교수가 많은 서울사이버대학교를 최종 선택하여 원서를 접수하였고 얼마 후 합격했다는 문자가 와서 드디어 상담심리학 주 전공으로 입학하게 되었다

학창시절 국어선생님과 친구들은 내가 당연히 국문학을 전공하여 글 쓰는 수필작가가 될 것이라고 생각하였고 나 또한 당연하게 받아들이면서 꿈을 꾼 적이 있다. 그런데 부모님의 빚보증으로 그 빚을 대신 갚아야 하는 상황에 놓이게 되어 대학입학과 꿈을 포기해야만 했었

다.

그래도 운이 좋아서인지 남들이 부러워하는 그 당시 대기업이었던 대우그룹에 입사하게 되었고 여주에 있는 계열사인 대우정밀 총무과로 발령이 났다. 2년 동안 열심히 근무했으나 공부하고 싶은 마음에 사표를 내고 무턱대고 서울로 상경했다. 조그만 회사에 입사하여 밤에는 학원을 다니면서 대학생의 꿈을 꾸며 2년 동안 열심히 공부를 했다.

그러나 입시시험을 앞두고 있을 때 지금의 남편을 만나서 결혼하게 되었고 또다시 꿈을 접어야만 했다. 또다시 찾아온 기회를 절대로 놓치지 않겠다는 신념으로 마지막 꿈을 포기할 수 없다는 생각으로 아이들의 도움을 받으며 컴퓨터를 배우면서 시작하게 되었고 남편도 열심히 하라고 응원해 주면서 맛있는 반찬과 음식을 만들어 주었다.

늦깎이 대학생으로 입학한 나는 행복했고 더 이상 불행은 없을 것이라는 생각이 들기 시작하면서 희망이라는 꿈을 꾸었다.

입학식과 오리엔테이션을 거쳐 멘토가 되어준 선배를 만나 사이버대학 공부하는 로드맵을 배웠고 조교를 소개

받아 코칭을 받으면서 온라인 강의를 들었다.

그리고 선후배 간에 인사를 나누는 지역모임이 있었지만 저녁시간이라서 나는 가게 운영을 하기에 갈 수 없어 포기해야만 했는데 수원대표라고 하면서 전화가 왔지만 장사를 하기 때문에 저녁에는 도저히 나갈 수 없다고 거절하였다. 얼마 후 모임이 있는 날이었는 데 마침 저녁에 손님이 많지 않았다. 갑자기 모임에 참석하고픈 마음이 일어나면서 남편한테 한 시간만 다녀오겠다고 하고 모임 장소인 병점역으로 갔다. 주차공간이 좁아서 걱정하고 있을 때 수원대표가 나왔고, 처음 만났는데도 알 수 없는 끈으로 이어진 것처럼 느껴졌었다. 그런데 그 모임에서 신발을 잃어버리면서 선배들의 관심 속에 각인되었다.

성철 큰스님의 발자취를 느낄 수 있는 백련암과 겁외사는 또 다른 인연이 되었다.

마른하늘에 갑자기 폭풍우가 쏟아져 재촉하던 나의 발걸음을 멈추게 했다. 무엇 때문이었을까? 아직도 그날의 기억은 생생하다. 동행했던 남편과 큰딸도 이상한 날씨라고 했을 정도로 갑자기 회색빛 구름이 몰려와 쏟아졌기 때문이다.

그 이후로 잊어버렸던 공부에 대한 열정이 되살아나기 시작하면서 서울사이버대학교 상담심리학과에 입학하게 되었다.

시절인연의 시작

며칠 후 수원대표와 또 다른 선배가 가게로 찾아왔다.

술 한 잔 하면서 얘기를 하는데 무언가 알 수 없는 느낌을 받으며 혹시 절에 다녀요? 라고 물었더니 보현선원에 다닌다고 말하였다. 나도 순간 옛날 생각이 떠올라서 수원사에서 기초교리를 배웠고 총무스님을 조금 안다고 말했더니 수원대표인 선배와 나는 서로 더 이상 말로 표현할 수 없는 느낌을 받았다. 선배는 그동안 있었던 이야기를 들려주면서 수원사 주지스님이 보현선원 회주스님이시고 수원사에서 총무 소임과 청수사에서 주지 소임을 보았던 스님이 주지 소임을 보고 계신다는 소식을 전해 주었다.

수원사를 떠나온 지 10년이 넘었고 그동안 불연을 끊고 두문불출하면서 살아왔기에 수원에 보현선원 창건한 것도, 세상이 어떻게 바뀌었는지도 모르고 살아왔다.

수술한 후 다리가 10분 이상 걷지도 못할 정도로 통증이 심해서 3년 동안 전화번호도 바꾸고 도반들하고도 소식을 끊고 가까운 사찰도 안 가고 완전히 불연을 끊어버리고 오로지 가족을 위해 장사에만 전념하면서 살아왔기 때문이었다.

스님을 뵙고 싶었지만 조금은 망설여졌고 10년이라는 세월 동안에 어떻게 변하셨을까? 궁금하면서도 더 이상 스님들하고 인연 짓지 않겠다는 나의 결심을 무너뜨리고 싶지 않았다.

한 달이 지난 후 대학교에서 특강을 듣고 내려오는 길에 한번쯤은 스님을 뵙고 싶어서 보현선원으로 향했고 마침 수원대표인 선배한테 전화를 했더니 기다리고 있었다고 하면서 빨리 오라고 했다. 주지스님께 내 이름을 알렸지만 잘 모르고 얼굴을 봐야 알 수 있다고 하셨다고 한다. 법명인 여여심으로만 알고 있었기에 당연한 일이다.

보현선원에 도착하여 주지스님을 만났는데 다행히 얼굴은 기억하고 있어서 무척 반가웠다.

스님은 초파일 연등축제 창작 등 작업 때문에 바쁘셨고 다음에 차 한잔하자고 하셔서 인사만 드리고 오랜만에 가족연등만 접수하고 돌아왔다.

생업인 가게를 운영하면서 공부를 해야만 해서 바쁘기

도 했지만, 한쪽 마음에서는 스님하고 더 이상 인연 짓지 말자는 생각과 다른 한쪽 마음에서는 10년 전 모습이 아니라 변하셨으면 실망할까 봐 두려움이 앞서서 좋은 추억으로만 간직하자는 생각으로 경쟁을 하고 있었다. 그러다가도 한번쯤은 뵙고 싶어서 가려고 하면 이상하게도 없던 일이 생기고, 그동안 연락도 없었던 옛날 도반 언니들이 찾아와서 처음으로 모셨던 주지스님 소식을 전해주고 여여심은 어떻게 지내고 있는지 안부를 물어보셨다고 하면서 한번 찾아가 뵙자고 하기에 생각해 보겠다고 하면서 돌려보내기도 했다. 그 이후로도 몇 번씩 마음이 일어나 보현선원에 가고 싶었지만 또다시 갑자기 일이 생기고 계속 가로막혀서 인연이 아닌 것 같다는 생각에 그냥 포기했었다.

장사하기에도 바쁘고 뒤늦게 다시 시작한 공부라서 강의를 들으며 리포터도 써야했고 시험공부 하느라 정신없이 바빠서 잊어버리고 어느덧 12월이 되었다. 선배로부터 주지스님 임기가 끝나는 마지막 기도를 한다며 참석하라고 했을 때도 결정을 못하고 망설였다.

그러나 무언가 알 수 없는 허전한 마음을 위로 받고 싶어서 관세음보살보문품 사경을 시작하게 되었고 문득 10

년 전에 관세음보살님께 약속 발원했던 기억이 떠올랐다.

"앞으로는 작은 일에 연연하지 않고 큰 그림을 그리며 살겠습니다."

"관세음보살님이 이끌어주시는 대로 살겠습니다."

"삼보에 귀의하며 살겠습니다.

100일지장기도 하는 동안 여동생 왕생극락 발원을 하면서 기도를 마쳤고 용주사와 인연이 되어 선방스님들 공양을 준비하느라 그만 잊어버리고 말았다. 그 이후로도 까마득하게 잊어버리고 살다가 마음속에 묻어두었던 불심이 되살아나기 시작했는데도 발걸음은 쉽게 떨어지지 않았다.

그러나 오랜만에 관세음보살보문품 사경기도를 하게 되면서 또다시 "관세음보살님이 이끌어주시는 대로 살겠습니다." 매일같이 발원하며 쓰기 시작한 지 90일이 지난 기해년 2월에 마음속에 묻어 둔 불심이 솟아나면서 보현선원으로 달려가 스님을 꼭 한 번만이라도 뵙고 싶다는 마음이 일어났다.

며칠이 지난 후 멘토가 되어준 선배와 수원대표의 졸업식 날 조카딸들을 데리고 대학교에 도착하여 꽃다발을 전달해 주고 보현선원에 간다고 하니까 무척 반가워 하면서 빨리 가보라고 재촉했다. 그 길로 내려오면서 두근거리는 마음을 달래며 곧바로 보현선원으로 향했다. 1년 동안 망설이면서 발걸음이 안 떨어졌는데 그날은 한결 가벼운 마음으로 운전하면서 달려갔다.

10년 전 심금을 울렸던 종무스님의 염불소리, 8년 전 청수사 주지소임으로 계셨을 때 한번 만난 스쳐간 인연이라고 생각했었고, 보현선원에 주지 소임을 보고 계셨을 때도 찾아뵈었지만 망설임과 두려움이 교차하면서 또 다시 스쳐간 인연인가 보다 포기했던 마음이 일어나기 시작한 것이다. 1년이 지나 용기를 내서 보현선원에 도착하여 종무소에 가서 스님을 만나러 왔다고 하니까 지금은 한주 소임으로 계신다며 전화를 해 주었다

9년이란 세월과 1년이란 시간이 흘러 10년 만에 스님을 만나러 찾아가는 꿈같은 시간이었다.

초심자일 때에는 스님들이 봉사하라고 권했고 전화해서 도와달라고 요청해서 인연을 맺었지만 나 스스로 스님을 뵙고 싶다는 마음이 일어난 것은 처음 있는 일이었다. 마침내 1년이란 시간이 지나서 드디어 한주스님을 만나게 된 것이다.

처음인연이 총무스님이어서인지 한주스님이라고 하니까 조금은 낯설어서 익숙하지 않았지만 차를 마시며 이야기를 나누었고 8년 전에 잠깐 뵈었을 때 그 모습 그대로 변하지 않으셨다는 느낌을 받고 마음속으로 기뻤다.

조카딸들에게 인사드리라고 했더니 스님은 무척 반갑게 맞아주셨고 그날 이후로 스님과의 인연이 시작된 것이다.

수원사에서 기도할 당시 염불소리가 심금을 울렸지만 대화도 한 번 나눈 적 없고 멀리서 바라만 보았을 뿐 인연이 되리라고는 생각조차 못했다. 잠시 스쳐간 인연이었고 전국을 떠돌아다니다가 우연히 청수사에 계신다는 소식을 듣고 찾아가 뵙고 온 것이 마지막이었다. 모든 인연에는 오고 가는 시기가 있다는 말이 있듯이 먼 길을 돌고 돌아서 기어이 만날 수밖에 없는 시절인연이 되리라고는 상상조차 못했던 일이다.

예전에 인연이 시작되었음에도 불구하고 지천에 두고도 못 알아봐서 인연의 흐름으로 시절의 때를 만나 기어코 만날 수밖에 없는 시절인연이기에 깨달음을 얻기 위한 준비과정이었음을 이제야 알 수 있게 되었다.

앞으로의 삶이 어떻게 펼쳐질지 모르지만 마음이 이끌어주는 대로 걸어가보려고 한다. 언젠가 종착역에 닿으면 알 수 있지 않을까? 하는 생각을 해 본다.

언제까지 한곳에 머무를 수 있는 불자로서의 삶이 될지 모르지만 한결 가벼운 마음으로 보현선원에 도착해서 대웅전에 들어섰는데 노보살님이 나를 알아보시고는 반가이 맞아주셨다. 왜 이제 왔냐고 하시면서 앞으로는 절대로 변하지 말고 한곳에 머무르라고 하시기에 저를 기억하냐고 물었더니 기억한다고 말했다. 10년이란 세월 속에서도 누군가 나를 기억해 준다는 것이 기적 같은 일이다. 왜냐하면 그 당시 법당에서 기도만 했었고 개인적으로 친분을 쌓은 적도 없고 마주치면 인사만 했을 뿐 스님들조차도 내가 몇 개월 동안 기도했어도 전혀 알아보지 못했을 정도로 말없이 조용히 기도만 했던 신도였기 때문이다.

초심자로 보적사에서 공양주, 법당보살, 종무소 일을 도우며 한 사찰의 살림을 살아온 나는 수원사에서 기초교리를 배웠지만 조용히 기도만 하고 싶어서 연등을 만들고 연등축제만 참여하고 봉사활동에는 참여하지 않았었고 새벽 백일기도를 끝으로 마치고 떠나게 되었었다.

한주스님과 시절인연이 되면서 마침 연등축제를 준비하고 있었고 토요일이라서 가족들을 데리고 보현선원에 갔는데 조카딸들이 창작연등을 만드는 것에 관심을 보이자 직접 가르쳐주겠다고 하셔서 큰딸, 셋째 딸, 그리고 셋째 사위도 같이 동참해서 배우며 즐거운 하루를 보냈다. 겨울방학 때라서 조카딸들은 일주일 동안 연등을 배우며 스님과의 인연이 시작되었다. 다른 신도들은 애들이 아직 어려서 못한다고 했지만 스님과 호흡을 맞추며 열심히 배워서 우리 가족 연등 10개를 만들게 되어 칭찬을 받으면서 조카딸들은 부처님 전에 오는 것을 좋아하였고 법회가 있는 날은 항상 따라다녔다.

앞으로도 조카딸들이 부처님 법을 만나 의지하면서 건강하고 씩씩하게 살아가길 바라는 마음으로 기도했다.

시절인연이란?

10년 전에 이미 만났어도 서로 알아보질 못했고, 8년 전 청수사에 찾아갔을 때 처음으로 대화를 나누었지만 우연히 스쳐간 인연이라고 생각했었다. 세월이 흘러 다시 만날 수 있다는 것은 상상조차 못했었다. 그리고 조카딸들하고 인연이 될 줄도 몰랐다.

시절인연이 무르익지 않으면 지천에 두고도 못 만날 수 있고, 시절의 때를 만나면 기어코 만날 수밖에 없다는 말이 현실이 되었다.

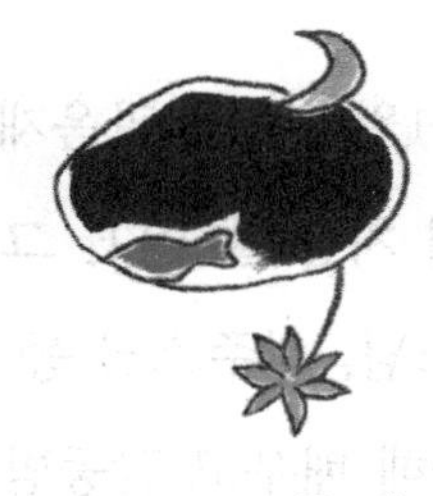

제4장 자비는 영원하다

'용서' 법문을 듣고

기해년 2월 28일(음력 1월 24일) 관음재일 법회 때 회주스님 법문을 10년 만에 처음 들었다. 그동안 불교방송을 통해 법정스님, 성철스님, 석주스님 등 존경하는 고승들의 주옥같은 법문을 통해 배우고 감동받으며 들었었는데 오늘은 법당에서 생생한 육성으로 회주 큰스님의 "용서는 참다운 사랑이고 자비이다." 라는 법문을 들었다.

'용서'는 우리로 하여금 세상의 모든 존재를 향해 나아갈 수 있게 한다.

'가장 커다란 행복을 가져다줄 것인가를 알아내는 것이 중요하다. 그것은 다름 아닌 용서와 자비이다.' 법문을 듣는 순간 눈물이 핑 돌며 나의 마음속 깊이 묻어두었던 상처들을 꺼내어 치유할 수 있는 것은 용서가 진정한 행복이라는 것을 알게 되었다. 불교의 핵심인 자비로 베풀 수 있는 깨달음을 주신 회주 큰스님의 법문은 나에게 참된 불자로 거듭나게 해 주신 귀한 말씀이었다.

그 당시 달빛 아래에 비쳤던 용안에는 광채가 흐르고, 서서히 걷는 뒷모습에서 기품을 느꼈던 주지스님의 법문을 10년이란 세월이 지나 멀고 먼 길을 돌아서 들을 수 있다는 것이 믿기지 않는 행운으로 다가왔다.

법문자료 한 구절에 '고통을 견뎌낼 수 있는 인내심을 키우기 위해서는 우리를 상처 입힌 누군가가 있어야 한다. 그런 사람들이 있어서 우리는 용서를 베풀 기회를 얻는 것이다. 그들은 우리의 스승조차 할 수 없는 방식으로 우리 내면의 힘을 시험한다. 용서와 인내심은 우리가 절망하지 않도록 지켜주는 힘이다.'

인연이 있는 모든 분들에게 함께 읽고 느낄 수 있기를 바라는 마음으로 한 구절 인용하여 적어 보았다.

햇볕이 따스한 3월 봄날 점심공양을 한 후 파라솔에서 차를 마시며 한주스님의 무상, 무아 법문을 들었다.

"모든 것이 변하는 것이 무상이요, 나라고 할 수 있는 고정된 변하지 않는 실체가 없다."

모든 것이 나라고 할 수 있는 것과 없는 것이 무아라는 것을 듣고 연기법이라는 것을 알게 되면서 존재하고 있는 모든 것은 원인과 조건에 의해 생겨나고 끊임없이 변한다는 진리를 모른 채 불자라고 생각했던 나 자신이 무명으로 살아왔음을 알 수 있었다.

왜? 10년 동안 떠돌이 불자로 마음의 걸림으로 한곳에 머무르지 못한 이유가 나라는 존재를 내세운 아상과 삿된 견해로 나 스스로 상처를 가슴에 묻고 살아왔던 것이다.

회주 큰스님과 한주스님의 20년의 인연을 보면서 또다시 감동을 받으며 불가에서는 법으로 만난 상좌가 아니고서 긴 세월을 인연으로 이어진다는 것은 불가항력으로 알고 있었다. 청렴하신 회주큰스님과 한결같은 한주스님을 보면서 나도 모르게 겸손해지고 내려놓음을 배웠다. 지금까지 의심을 품었던 걸림도 사라지고 진정한 자유와 안식처를 느끼며 기도하게 되면서 어느 순간 수술 후유증으로 고생했던 다리의 통증도 차츰 사라져갔다.

기해년 6월 매주 일요일 참선을 시작했다.

참선을 시작한 첫날 다리와 온몸이 아팠다. 참고 견디며 스트레칭으로 몸을 풀고 보행행원 길 걷기 참선을 하였다. 회주 큰스님은 발자국 소리, 새소리, 물 흐르는 소리를 그대로 듣고, 눈으로 보고, 꽃향기를 맡으며 자연의 아름다움을 느껴보라고 가르쳐 주시며 세 바퀴 걷기 참선을 한 후, 다시 돌아와 참선하고 스트레칭 한 후 참선에 대한 법문을 듣고 108배를 하면서 마쳤다. 다른 신도들은 가부좌를 하면서 참선을 했지만 나는 할 수가 없었다. 수술 후유증으로 3년 동안 오른쪽 다리 통증과 손가락 저림으로 인해 감각을 느낄 수가 없었다. 병원에 가서 진료를 받고 검사를 해도 원인을 찾을 수가 없어 통증이 심할 때는 처방받은 진통제를 먹으며 살고 있었다. 가끔씩 딸들과 마트에 가서 쇼핑을 할 때도 10분 이상 걷지 못하고 의자에 앉아서 기다릴 정도로 통증이 심했었고 방석에도 오래 앉지 못해서 의자나 침대에 누워야 할 정도로 통증이 가라앉지 않았다.

처음에 보현선원에 왔을 때도 방석에 앉지 못하고 의자에 앉아서 회주스님 법문을 들어야 했다. 이상하게도 절을 할 때는 통증을 많이 느끼지 않아서 다행히도 유일하게 할 수 있는 것은 108배 뿐이었다.

어느 날 법회 때 법당에 들어서는데 몸이 가볍다는 느낌을 받으며 방석에 앉아 보았다. 다행히도 조금은 힘들었지만 회주 큰스님 법문이 끝날 때까지 앉아 있을 수 있었고 그날 이후로 방석에 앉게 되면서 통증도 조금씩 사라져가고 자신감도 생기면서 지금은 맨 앞자리에 당당하게 앉을 수 있게 되었다.

매주 참선을 하면서도 반가부좌를 못하고 일명 양반다리로 앉아서 했었는데 한 달이 지난 후 반가부좌 다리로 앉아 보았다. 통증은 있었지만 참고 또 참으며 견뎌야 한다는 생각에 억지로 이를 꽉 물고 눈을 감으면서 버티어 냈다. 그날 이후로 어느 정도 통증을 참을 만큼 자신감도 생기고 점점 몸과 마음의 안정을 찾게 되면서 심했던 통증이 약해지면서 반가부좌로 앉아도 통증을 느끼지 못할 정도로 사라져가고 있었다.

일요일 아침부터 이슬비가 내렸다.

참선과 스트레칭으로 몸을 풀고 보현행원길 걷기명상을 하면서 회주 큰스님은 항상 걷기명상할 때 그냥 걷지 말고 새소리와 물소리를 들으며 눈으로 보고 꽃향기도 맡으며 자연의 느낌을 그대로 바라보라고 하셨기에 그대로 바람소리, 내 발자국 소리, 꽃향기를 맡으며 걷고 있는데 갑자기 나뭇잎에 맺혀 있었던 빗방울이 이마에 떨어지는 순간 나도 모르게 차갑다는 생각보다 이마에서 흐르는 빗방울을 그대로 느끼며 관찰하였다. 아침부터 내린 이슬비가 나뭇잎에 머물다가 하필 지금 내 이

마에 떨어졌을까 하는 생각과 동시에 주마등처럼 스쳐가는 생각에 멈추어 버렸다. 지난 세월 떠돌이 불자로 방황하는 내 모습을 보았고, 세상 사람들과 소통하지 못한 채 내 안에 갇혀 살았다. 무언가에 얽매이는 것을 좋아하지 않고 자만과 편견에 빠져 자기중심적인 생각으로 남들에게 신경을 쓰지 않고 감정표현에 인색했다. 누군가가 내 자신의 일에 간섭하는 것을 싫어했다. 오직 자신의 욕구에만 충실하고 다른 사람들에게 무관심하게 살아왔다. 순간 모든 사람들이 바뀌길 바라기보다 나 한사람이라도 바뀔 수 있다면 적어도 내 세상은 달라질 수 있다는 것을 알게 되었다. 지난 세월의 어리석음이 후회로 밀려왔다. 작은 빗방울은 잠시 머물다가 사라졌지만 내 마음속에 머물며 이 순간만큼은 잊지 말라는 교훈을 남겼다. 저 넓은 세상으로 나갈 수 있게 등대지기처럼 불빛으로 안내해 주는 것 같았다.

우연인지 우연이 아닌지도 모르지만 작은 빗방울은 나에게 무언가 속삭이듯이 잠시 머물면서 사라져갔다. 아직도 그 순간 기억만큼은 영원히 내 마음속에 머물러있다.

'용서' 법문은 내 삶을 바꾸어 놓았다. 누군가를 용서한다는 것은 쉬운 일이 아니다. 더군다나 믿고 의지했던 가족으로부터 받은 상처는 더 깊은 상처로 남는다. 시간이 지나면 지날수록 곪아 터져 깊은 상처가 되어 치유할 수 없는 흔적으로 남는다.

회주 큰스님의 법문은 나의 가슴속에 묻어버린 오래된 상처의 흔적을 치료해 주었다. 타인을 위해서가 아닌 나 자신의 행복을 찾을 수 있는 길이 용서였다.

처음으로 참선 체험을 하게 되었다. 나뭇잎에 맺혀 있던 빗방울은 내 모습을 바라볼 수 있는 기회를 주었다. 나 자신을 찾아갈 수 있도록 안내를 해 주었다.

시댁 식구와 재회를 하다

한여름 시어머니 생신날!

인연을 끊고 산 지 12년 만에 시어머니를 만났는데 얼굴에 주름이 가득하고 몸도 많이 마르셨다. 시이모님 세 분도 조카며느리인 나를 보고 싶어서 같이 오셨다고 했다.

세월이 너무 많이 흘러 이모님들도 흰머리로 가득하고 주름도 많은 얼굴로 변했고 큰 이모님은 팔십이시고 둘째 이모님도 팔십을 내다본다고 하셨고 막내 이모님도 칠십이 넘었다고 하셨다. 예전에는 이모님들이 사랑을 주셨고 최고의 조카며느리가 들어왔다고 좋아하셨는데 어쩌다 생이별을 하게 되었는지... 이제야 만날 수 있게 되었다며 내 손을 잡으시고 애들 잘 키워서 고맙고 그동안 도와주지 못해서 미안하다고 하시면서 눈물을 삼키셨다.

나는 어머님께 '오셨어요.' 하고 인사를 했는데 아무 말도 못하시고 웃으셨지만 눈가에는 눈물이 맺혀 있었다. 인연을 끊고 사는 동안 마음고생을 많이 하신 것 같이 보였고 믿고 의지했던 둘째며느리가 바람나서 이혼을 하고 막내며느리도 애들을 돌보지 않고 수시로 가출을 하다가 결국 이혼하면서 조카들은 중, 고등학교를 중퇴하였다는 것이다. 그나마 막내 시동생은 1년 전에 재혼해서 살고 있었고 큰 시동생은 아직도 마음고생하고 있는 것 같았다.

큰 시동생은 형님과 형수님을 외면해서 죄송하다며 눈가에 눈물이 글썽거렸고 시댁식구들은 내 눈치만 보고 있어서 누군가는 침울한 분위기를 바꿔야 했기에 내가 먼저 웃음을 보이니까 잠시 온 가족이 눈물을 흘리며 지난날을 후회하고 있는 분위기가 되었다.

나의 웃는 얼굴을 보고 어머님도 조금은 마음이 가벼워지신 것 같이 보였고, 차려놓은 음식들을 먹으며 케이크에 촛불을 켜고 생일축하노래도 불렀다. 외손녀가 촛불을 끄고 케이크도 칼로 직접 자르겠다고 고집을 부리자 온 가족이 한바탕 웃었고 어린 외손녀로 인해 즐거운 분위기로 바뀌었다. 오랜만에 모인 가족은 조금은 서먹서먹했지만 가족이라는 천륜으로 만나서인지 어느새 웃음으로 화목했던 시간으로 되돌아간 것 같은 느낌이었다.

어머님은 내 손을 꼭 잡고 미안하다고 하며 아이들을 잘 키우고 행복하게 살고 있어 고맙다고 하시면서 또다시 눈물을 보이셨지만 나는 아무 말도 할 수 없었다.

10년이면 강산도 변한다는 말처럼 우리 가족의 모습도 달라졌다.

시골에서 농사를 지으셨어도 피부는 고우셨는데 지금 모습은 반백머리에 주름이 활짝 핀 모습으로 변했으며 순진하고 착하던 시동생들은 마음고생으로 세월의 흔적을 피해 갈 수 없었던 것 같았다.

왜 우리 가족은 생이별하면서 흩어져서 살아야만 했을까?

남들이 부러워할 정도로 행복했던 가족이었는데 왜 이런 일이 일어났을까?

신혼 때에는 맏며느리가 딸보다 시어머니를 더 닮았다는 소리를 들으며 더할 나위 없는 고부 사이였었다. 대중목욕탕도 같이 다니며 서로서로 등도 밀어 주고 자장면 사드리면 맛있게 드셨던 어머니였었는데 갑자기 왜 나에게 냉정해지면서 인연을 끊고 살자고 했는지 지금도 이유를 알 수 없었다.

술 한 잔 먹으면 우리 형수 사랑한다면서 안아줄 정도로 정 많던 큰 시동생도 등을 돌리고 막내라서 항상 걱정했던 시동생과 순박한 시누이조차도 왜 소식을 끊고 살았던 것일까?

가족 중에 누구 한 명이라도 연락을 했더라면 그렇게 세월을 보내지 않았을 텐데 왜 아무도 연락을 안 했을까?

나도 또한 서러움의 상처가 아물지 않아 무관심으로 그 세월을 보냈고 남편은 한 번도 가족 얘기를 하지 않고 가슴속에 묻고 살아왔다. 흔히 말하는 것처럼 법 없이도 살 사람이라고 할 정도로 융통성도 없는 강직한 성품의 소유자이고 효자였던 남편의 마음을 닫아버린 이유가 무엇일까? 천륜을 끊고 살 정도로 얼마나 큰 상처가 되었을까?

한 번이라도 진실한 대화를 나누었더라면 상황이 바뀌었을지 모르겠지만 그저 무관심 속에 세월은 흐르고 서로의 상처만 남았을 뿐이다.

물론 남에게 해를 끼치는 삶을 살지 않았지만 가족이라는 울타리에서 자신의 의지와는 상관없이 어려움에 처하게 되었을 때 누구라도 마음의 소통을 나누었더라면 상황이 달라졌을 것이다. 무지와 어리석음이 가족의 비극으로 바뀌었던 것이다.

다시 되돌릴 수 없는 삶이었지만 이제라도 알게 된 것은 다행이라고 생각하며 시절인연이 된 회주 큰스님의 법문은 깨달음의 지혜로 다가왔다.

나는 뜻 모르는 시련과 역경 속에 살면서 인고의 세월을 거쳐야만 살 수 있는 운명이었을까? 인생을 살아가며 고난의 시기는 사람마다 다르겠지만, 나의 고난은 하루하루를 잠식한 채 내 삶속에 근심으로 가득 차 진짜 나의 모습을 몰아내고 알 수 없는 미래에 대한 두려움에 살고 있었다. 때로는 피 말리는 고통 속에 놓여지기도 했지만 그 세월을 인내할 수 있었던 것은 부처님 법을 만났기 때문이었다.

부모는 죽어서도 자식 걱정을 한다는 말이 있다. 나의 친정아버지는 돌아가신 지 3년이 되어 꿈속에서 부처님을 만날 수 있게 인도해 주셨다. 꿈속에 본 사찰을 올라갔더니 부처님이 기다렸다는 듯이 스님들 공양을 맡게 되면서 법당보살의 소임을 주셨을 때는 무슨 이유가 있었을 것이다. 그 당시는 몰랐었는데 10년이란 세월이 흐른 뒤에야 알게 되었다.

멈추지 못했을 때는 서서히 신심이 깨지는 갈등 속에서 선방스님의 가르침을 받고 멈추고 나서 비로소 보이고 느낄 수 있었다. 왜 멈출 수밖에 없는지 이유를 아는 순간 부처님이 또 다른 소명을 주실 것 같은 생각에 머물렀다.

언젠가 기회가 주어질지 모르겠지만 멈출 수밖에 없는 이유를 안 순간부터 나의 마음은 안식처를 찾았기에 평온하고 아름다운 세상을 바라볼 수 있게 되었다.

사람은 일생에 세 번의 기회가 찾아온다고 한다는 말이 있다. 예전에는 혜안으로 바라볼 수 없었지만 마지막으로 찾아온 세 번째 기회를 결코 놓치지 않을 것이다.

이제는 운명이니 숙명이니 하는 말에 귀 기울이지 않는다. 있는 그대로 바라보며 주어진 시간을 소중하게 생각하면서 연기법의 의미를 되새겼다.

이 모든 것이 불행으로부터 시작되었지만 결코 불행한 삶이 아니었다. 인고의 세월이 있었기에 가족의 소중함을 다시 한번 일깨원 준 계기가 되었다.

나는 평소에 불교 혁신에 헌신하시다 열반하신 석주 큰스님을 존경해왔었다.

살아생전 뵙지는 못했지만 '자비로움을 집으로 삼고 참음을 옷으로 삼으라.' 라는 "자실인의(慈室忍衣)"의 휘호와 '하심(下心)이 곧 부처다.' 라는 가르침을 배울 수 있었기에 때문이다.

10년 전에 남아있는 영상으로 석주 큰스님의 법문을 들었지만 귀로만 듣고 마음으로 새기지 못했다. 이제야 그 뜻을 헤아릴 수 있게 되면서 내 마음도 어느 순간 숙연해지기 시작했다. 온갖 장애로부터 벗어나 걸림도 사라지고 내 마음의 평온을 되찾을 수 있었다. 어떠한 장애가 닥친다 해도 흔들림 없는 삶을 찾을 수 있게 되었다.

돌이켜 생각해 보면 믿을 수 없는 일이다. 우리 가족은 수원에 살고 두 시동생들은 오산에 살고 있었다. 불과 30분 정도밖에 안 걸리는 거리임에도 한 번도 만나지 못하고 연락도 없었다. 시어머니와 시누이도 경기도 화성에 살고 있어서 1시간도 채 안 걸리는 거리인데도 12년 동안 인연을 끊고 살았다. 누구한테 물어봐도 믿지 못하고 이해할 수 없을 것이다. 그런데 우리 가족에게 일어난 실제의 이야기이다.

부모, 자녀 간이나 형제 사이와 같이 변할 수 없는 것이 천륜이라고 하지만 우리 가족은 신뢰가 깨지는 순간

산산조각 나듯이 무너지고 말았다. 어머니를 위해서라면 무엇이든지 제일 먼저 챙기던 남편과 장남하고 인연을 끊고 살자고 한 후 12년 동안 한 번도 연락을 안 하고 무관심 속에 살았다는 것은 아직도 이해할 수 없는 미스터리로 남아있다.

새벽예불을 시작하다

백중 입재일부터 우란분절(백중)까지 49일 동안 조상님을 위한 기도를 하면서 좋은 인연을 만나 삶의 희망이 솟아났고 이제는 내 삶을 개척하기 위한 기도를 하려고 한다.

나 스스로 괴롭혔던 내 마음을 용서하고 모든 사람들을 용서하며 자비로 베풀고 싶다.

나는 불자가 된 지 15년이 넘었지만 개인적으로 법당에서 기도한 적은 수원사가 처음이자 마지막이었다. 이후 한 번도 사시기도나 새벽예불에 참여하지 못했다. 오로지 108배와 묵언으로 부처님만 바라보는 것이 유일한 기도였다.

10년 만에 보현선원에서 새벽예불에 동참하면서 잊어버렸으리라 생각했던 예불문과 게송이 떠올랐다. 이미 몸에 익숙해져 있었던 것처럼 말문이 트였다. 그동안 말문이 막혀 묵언기도만 했었는데 이제는 술술 터져 나왔다.

삼보에 귀의 발원하고 보현선원에 머무를 수 있게 인연 맺어주신 부처님과 관세음보살님께 감사드리며 세세생생 지은 죄업을 참회하는 마음으로 살겠다는 발원을 하면서 아침예불을 올렸다.

두 번째 날도 기도문이 트였다.

거룩한 부처님께 귀의합니다.

거룩한 가르침에 귀의합니다.

거룩한 스님들께 귀의합니다.

오늘도 보현선원에서 아침예불 할 수 있게 이끌어주셔서 감사합니다.

거룩하신 부처님, 관세음보살님.

회주 큰스님과 한주스님을 또다시 인연 맺어주셔서 감사합니다.

보현선원을 옹호해주시는 모든 불보살님들과 화엄성중님 감사합니다.

청정도량으로 빛나게 밝혀주시는 주지스님과 대중스님들 감사합니다.

보현선원을 지켜주신 노보살님들과 모든 사부대중들에게도 감사합니다.

덕분에 청정도량에서 기도할 수 있어서 감사합니다.

이렇게 나의 두 번째 기도 발원을 했다.

세 번째 날.

거룩한 부처님께 귀의합니다.

거룩한 가르침에 귀의합니다.

거룩한 스님들께 귀의합니다.

거룩하신 부처님, 관세음보살님, 보현선원에 머무르고 계신 모든 불보살님과 화엄성중님께 아침예불 드리러 왔습니다.

시방세계에 충만하신 부처님과 관세음보살님이시여!

이 재가불자 여여심의 과거로부터 세세생생 지은 죄업을 참회합니다.

가피를 내려 죄업중생의 업장을 녹여 주시고 금생에 꼭 이루고자 하는 소원을 꼭 성취할 수 있게 이끌어주십시오.

지금까지 한 번도 소원성취 발원도 못하고 묵언기도만 했습니다.

이번 생에는 꼭 소원을 들어주시길 간절하게 발원합니다.

부처님, 관세음보살님 감사합니다. 감사합니다. 감사합니다.

부처님과 관세음보살님을 잘 모시고 살겠습니다. 불법승 삼보를 받들며 살겠습니다.

네 번째 날.

거룩한 부처님께 귀의합니다.

거룩한 가르침에 귀의합니다.

거룩한 스님들께 귀의합니다.

오늘에 이르기까지 지켜주신 부처님과 관세음보살님 감사합니다.

불법을 만날 수 있게 이끌어 주신 모든 스님들께 감사드립니다.

오늘도 보현선원 법당에서 기도할 수 있게 이끌어주셔서 감사합니다.

모든 번뇌를 끊고 꼭 소원 성취하여 불도를 이루겠습니다.

다섯 번째 날.

거룩한 부처님께 귀의합니다.

거룩한 가르침에 귀의합니다.

거룩한 스님들께 귀의합니다.

대자대비하신 부처님, 관세음보살님 이제야 기도 발원할 수 있는 말문을 트이게 해 주셔서 감사합니다.

"앞으로는 작은 일에 연연하지 않고 큰 그림을 그리며 살겠습니다.

관세음보살님께서 이끌어주시는 대로 살겠습니다.

삼보에 귀의하며 살겠습니다.

10년 전에 관세음보살님께 약속한 발원을 꼭 실천하겠습니다.

지금 이 순간까지 보현선원에 머무를 수 있게 해준 모든 이에게 감사합니다.

여섯 번째 날.

거룩한 부처님께 귀의합니다.

거룩한 가르침에 귀의합니다.

거룩한 스님들께 귀의합니다.

오늘은 부처님께 삼배를 한 후 도량석과 새벽종송이 끝날 때까지 반가부좌로 앉아서 부처님을 바라보며 묵언기도를 했다.

고요하고 편안한 마음으로 지극 정성 아침 예불을 올렸다. 반야심경이 끝난 후 스님들께 "성불하십시오" 합장한 후 같이 기도에 동참한 신도들에게도 "성불하십시오" 합장을 마치고 스님의 좌복을 정리하면서 마음의 안식처를 느낄 수 있었다.

부득이하게 6일 동안 기도한 마음을 글로 표현한 것은 불자가 된 지 15년이 되었지만 한 번도 기도발원을 못했기 때문이다. 앞에서 말했듯이 말문이 막힌 이후로 묵언만 했었다.

이후로는 참회발원하며 108배를 하는 것이 유일한 기도였고 잠재의식 속에 알게 모르게 모든 이들에게 상처를 안겨준 것을 참회한다는 기도를 하였다.

초심 불자였을 때 영가들을 위한 선업을 쌓았지만 나도 모르게 동시에 구업도 지었음을 참회한다는 발원을 하면서 그동안 10년 동안 방황한 이유를 깨닫는 순간 나의 어리석음이 스스로 나의 발목을 잡았다는 것을 알게 되었다.

지금까지 의문을 품었던 이유를 알게 되어 나 스스로를 뒤돌아보라는 뜻이었음을 알아차렸지만 너무 긴 10년이란 세월 동안 부처님 도량에 머무를 수 없었던 것은 무슨 이유였을까 하는 의문은 아직도 남아있다.

언젠가는 의문을 풀 수 있는 날이 반드시 찾아올 것이라고 생각해 본다.

108배를 한 후 어떤 생각이나 마음조차도 꺼낼 수가 없었다. 멍하니 부처님만 바라보았을 뿐이다. 심지어는 쪽지에 기도발원을 메모해 가지고 갔어도 막상 법당에 들어서면 메모조차도 잃어버릴 정도로 백지상태가 되었다. 처음에는 건망증이라고 생각했었다. 그런데 무려 14년 동안 반복되었으며 습관적으로 묵언기도만 했다. 유일하게 할 수 있는 것은 법당에 모셔놓은 부처님 상호를 바라볼 수 있다는 것으로 위안을 삼았었다.

지금은 보현선원 법당에 모셔놓은 부처님 상호만 보면 저절로 미소가 나온다. 오늘도 기도하러 온 여여심입니다. 감사합니다. 라고 마음속으로 인사를 하고 나면 너무나도 행복하다.

변함없이 지긋이 미소를 지으시는 모습을 보면 내 마음도 어느새 평온해진다.

아침 참선 체험을 하면서

참선은 온갖 잡념 속에 빠져있는 마음을 알아차리고 호흡으로 다시 돌아와 몸과 마음을 지금 이 순간 하나가 되게 하는 수행이라고 한다. 날숨과 들숨을 바라보며 동시에 내 자신을 중심으로 일어나는 것을 바라보는 것이라고도 했다. 일정 기간 호흡명상을 반복하다 보면 다른 잡념이나 일상의 생각에 빠져들었다는 것을 알아차릴 때 그대로 보면서 호흡으로 돌아오면 된다고 하였고 잠깐 사이에도 마음이 수없이 바뀌는 번뇌로 가득차도 수행을 지속하다 보면 지금 이 순간에 깨어있는 법을 터득하게 되는 것이 마음 챙김 명상이라고 한다.

그러나 나는 온갖 번뇌로 헤매다가 깨어나기를 수없이 반복하며 호흡조차도 할 수 없었으며 오히려 잠재의식 속에 머무르던 마음이 일어났다.

아침예불이 끝난 후 회주 큰스님의 집도로 아침 참선을 시작했다.

첫 번째 날은 다리와 온몸이 아파왔다. 참선하는 신도들에게 방해되면 안 된다는 생각과 절대로 포기할 수 없다는 마음으로 참고 또 참았다. 시간이 얼마나 지났는지 죽비소리가 반가울 정도로 무척 힘들었다. 스트레칭으로 몸을 풀고 108배를 한 후 마쳤다.

두 번째 날.

몹시 힘들었지만 첫날보다 참을 수 있을 정도로 괜찮았다. 그렇지만 참선할 정도로 마음이 안정이 안 되어 어설프게 참선을 마쳤다.

세 번째 날.

오늘은 반가부좌로 앉아서 시작하자마자 몸이 가벼움을 느꼈다. 어느 순간 구름 위에 앉아 있는 듯 다리도 안 아프고 몸도 날개를 달은 것처럼 떠 있는 느낌이었다. 신비한 경험을 하면서 환상 속에 머물다가 죽비소리에 깨어났다.

네 번째 날.

반가부좌로 앉아서 참선을 시작했는데 온갖 잡생각에 빠져 헤어나질 못할 정도로 번뇌로 가득 차 끌려다니다가 죽비소리에 깨어났다.

참선이 끝나고 스님 좌복을 정리하는 순간 내가 보고

느낀 참선체험 일기를 써야겠다는 마음을 먹었다. 그리고 집에 도착하자마자 그동안 체험한 것을 일기장에 써 내려갔다.

다섯 번째 날.

오늘도 온갖 번뇌로 시달리다가 한번 마음을 굳게 먹어야겠다는 생각과 동시에 사라져 버렸다. 아! 바로 이거로구나? 모든 번뇌는 생각에서 일어났다가 사라진다는 것을 배웠다.

여섯 번째 날.

참선을 시작하면서 오늘은 절대로 번뇌를 일으키지 않겠다고 마음먹었지만 뜻대로 되질 않았다. 처음에는 가벼운 마음으로 시작했지만 중간에 뭔가가 내 몸을 툭툭 치고 옆에서 속삭이는 것을 느끼고 있는데 죽비소리에 갑자기 사라져 버렸다.

일곱 번째 날.

조용한 가운데 반가부좌로 앉아서 참선을 시작했는데 갑자기 돌아가신 아버지와 여동생이 보였다. 나도 모르게 허상이야 하는 생각과 동시에 사라졌다. 참선이 끝난 후 집에 도착하여 일기를 쓰면서 생각을 했다.

모든 번뇌는 마음속에 묻어 두었던 일이 나타나서 스스

로 고통 속에 살고 있었다는 것을 알게 되면서 그동안 갑자기 돌아가신 아버지와 여동생을 돌봐주지 못했다는 죄책감으로 힘들어 하며 놓지 못해 가슴속에 묻어 두고 살아왔음을 참선을 통해 알아차렸다.

두 손 모아 기도를 했다.

아버지와 여동생을 이제는 놓아주어야겠다는 생각과 동시에 마음에서 내려놓음을 배웠다.

내려놓음을 알게 되면서 몸이 한결 가벼워졌다는 것도 알아차릴 수 있게 되었다.

그날 이후 참선을 할 때 어떤 장애에 시달려도 알아차림을 통해서 내려놓음과 비움을 배웠다. 그대로 두는 법도 배우기 시작했다. 어느 날은 아주 가볍게 무념무상 삼매에 들어갈 때도, 졸음과 싸울 때도 있고, 누군가 옆에서 계속 유혹하면서 속삭일 때, 내가 어디론가 유람을 할 때, 졸음이 와서 잠시 졸고 있으면 누군가가 툭 치면 깜짝 놀랄 때도 있다. 수많은 번뇌가 와도 절대로 끌려다니지 않으며 그대로 보고 느끼고 내버려 두는 법도 배웠다.

누구나 참선은 각자가 다르게 느끼면서 체험한다.

부득이하게 내가 직접 겪으면서 참선체험을 일기로 쓰고 세상 사람들에게 이야기를 들려주고 싶은 이유가 있기 때문에 적어 보았다.

내가 20년 동안 수많은 시련과 고통을 겪으면서 불행에서 벗어나지 못하고 살아왔음을 참선을 통해 알아차리면서 아직 시작에 불과한 참선체험이지만 심리적 고통에서 벗어날 수 있었다. 내려놓음을 배우면서 집착에서 벗어나고, 알아차림을 통해 부정적인 생각을 버리고 긍정적인 마음으로 감정조절 할 수 있음을 배울 수 있었다.

나의 존재를 나타내는 아상과 삿된 견해로 구분하면서 바르게 볼 수 없었고 관찰하지 못해 고통 속에 살아왔다는 것을 아침 참선을 시작하면서 알게 된 순간이었다.

나의 참선 체험은 참된 자아를 찾고자 체험일기로 기록하면서 앞으로도 지속될 것이다.

지금까지 즐거움, 행복, 고통, 수많은 시련 속에 살아온 삶도 내 인생의 일부였음을 받아들이며, 부처님 법을 만난 최고의 행운을 모든 이에게 자비로 베풀며 살아가겠다는 생각을 했다. 어느 날 갑자기 알 수 없는 목마름에 갈증을 느끼며 또 다른 마음에 방황이 시작되었고 무엇 때문인지 전혀 알 수 없었다.

몇 날 며칠을 새벽기도 하고 참선을 하면서도 계속해서 몸과 마음이 따로따로 분리되어 집중도 안 되고 끝없이 나도 모르게 끌려다녔다. 도저히 참을 수 없을 정도에 다다랐을 무렵 문득 스쳐가는 생각에 멈추었다.

나의 꿈이 무엇인가? 머릿속에서 맴돌며 꿈을 찾아야겠다는 생각에 머무르게 되었다.

며칠 동안 '나의 꿈이 무엇인가?' 화두로 참선을 하게 되면서 또 다른 배움의 선택을 하였다. 그날 이후로 나는 새벽장사를 마치고 새벽기도 하고 참선까지 마치면서 무조건 서울로 향했다. 무언가를 배울 수 있는 강연자들을 만나서 듣고 배우고 싶었다.

끝없는 나의 열정은 몇 달 동안 계속되었는데 찾을 길이 막막했고 뚜렷한 목적도 없었기 때문이었다. 그저 무모하게 어떤 강의라도 들을 수 있는 곳이라면 찾아다녔는데 목마름의 갈증은 멈출 수가 없었다.

어느 날 세바시 인증강사로 활동하고 있는 강사의 "5가지 사랑의 언어"라는 강의를 듣게 되었다.

당신의 사랑, 소통되게 하라!

1. 인정하는 말
2. 함께하는 시간
3. 선물
4. 봉사
5. 스킨십

사랑하지만 언어가 다른 두 사람,

사랑하는 마음이 전달되지 못하고 오히려 상처가 쌓인다.

사랑하지 않기 때문이 아니라 사랑이 소통되지 않기 때문이다.

인정하는 말은 상대의 인격과 능력을 믿고 칭찬하고 격려해주는 것, 부드럽고 친절하고 겸손한 말투, 존재에 대한 신뢰, 명령이 아닌 부탁.

함께하는 시간은 상대방에게 전적으로 관심을 집중하는 것, 온 우주에 그대만 존재한 듯.

선물은 액수와 상관없이 사랑의 상징을 주는 것. 생각, 준비, 전달.

봉사는 말보다 행동으로 기꺼이 해주는 것. 선입견, 당연히, 기꺼이.

스킨십은 서로를 신뢰하며 상호 합의 하에, 몸으로부터

멀어진다는 것 = 마음으로부터 멀어지는 것. 백문이 불여일견 백견이 불여일행, 짝궁과 눈 맞춤. 경청, 진정한 대화.

세바시 인증강사의 강의를 들으면서 메모했던 내용이다.

가장 기억에 남는 '백문불여일견' 을 넘어 '백문불여일행', 즉 백번 듣는 것보다 한 번 실행하는 것만 못하다. 라는 말은 내 아픈 가슴을 스쳐갔고 5가지 사랑의 언어는 나의 지혜롭지 못했던 어리석음을 다시금 일깨워 주는 계기가 되었다.

돌이켜 생각해 보면 맏며느리, 맏딸이라는 굴레를 짊어진 채 무조건 인내를 곱씹으며 살아온 세월은 무색해졌다.

참선 체험은 또 다른 세상으로 이끌어주었다. 참된 나를 만나 사견이나 집착을 떠나 자유롭고 걸림이 없는, 번뇌에서 벗어날 수 있었다. 알아차림으로 모든 일어나는 내적, 외적 사건들을 지각하고 체험하며 진정한 본질의 정체성을 찾았다.

내려놓음과 비움으로써 나를 바라보게 되었고 무의식

속에 잠재력을 발견하였다. 알 수 없는 목마름의 갈증으로 끝없는 열정과 방황 속에 '5가지 사랑의 언어' 강의를 듣고 사랑에도 소통의 언어가 있다는 것을 배웠다.

잠재의식 속에서 되살아난 희망의 꿈

학창시절에 꿈꾸던 일이 현실로 다가왔다.

배움도 부족하고 삶에 지치고 감성도 사라져 자포자기 했었는데 아침예불과 참선을 통해 조금씩 감성이 솟아나기 시작하면서 배움의 열정이 생기기 시작했다.

수필작가가 되어 강연하는 작가가 되고픈 꿈이 생기면서 여기저기 인터넷 검색을 해서 서울로 강연을 들으러 쫓아다녔다. 새벽장사를 마치고 아침예불과 참선하면서 서울로 무작정 향했다. 졸음운전으로 가벼운 접촉 사고 두 번이나 내고도 포기할 수가 없을 정도로 끓어오르는 열정에 나도 모르게 이끌려 다녔다. 두 번째 사고가 난 날은 차를 견인시키고 택시를 타고 역삼동에 있는 강의실에 1시간 늦게 도착해서 제대로 강의를 들을 수 없었다.

마지막 시간에 질문할 사람 있으면 하라고 하는데 어디서 용기가 났는지 손을 번쩍 들었다. 강사는 나를 가리키며 질문하라고 했지만 나는 "오는 길에 접촉 사고가 나서 견인시키고 늦게 도착해서 제대로 듣지 못했습니다. 그렇지만 얼굴 도장이라고 찍고 싶은 마음에 손을 들었습니다."라고 했더니 그 순간 강의실은 박수치는 소리로 가득 찼다.

강사님은 포기하지 않는 용기에 감사하다고 하면서 '사랑의 언어' 책을 선물로 주었다. 모든 사람들이 또다시 박수를 쳐 주어서 너무나도 행복했다. 비록 교통사고가 났지만 용기와 행복이라는 선물을 받았으니까.

강의가 끝나고 내려오는 길에 지하철을 타려면 어디로 가야 하나요? 물었더니 지나가던 사람이 친절하게 역삼역까지 안내해 주었다. 역삼역에 들어가서 표를 끊으려고 하니까 어떤 남자가 지금은 교통카드에 충전해서 타야 한다고 하면서 충전하는 기계로 가서 친절하게 알려주었다. 수원방향으로 내려가 지하철을 탔지만 노선을 잘 모르고 어디서 갈아타야 하는지 모른다고 물었더니 젊은 아가씨가 핸드폰에다 지하철노선 앱을 설치해주고 노선 보는 설명까지 친절하게 알려주었다. 세상은 아직까지도 살만하구나! 이렇게 친절한 사람들이 많다는 것을 오랜만에 느낄 수 있었고 결혼한 이후 30년 만에 처음 타보는 지하철이기도 했다. 가족들은 운전하지 말고 지하철을 타고 다니라고 걱정을 해서 그 이후로 지하철을 타고 다니기 시작했다.

우연히 네이버에 '글장이' 의 블로그를 보고 검색해 보았다.

"희망"이 나에게도 찾아왔고 한 치의 망설임도 없이 특강을 신청했다.

첫 특강하는 날 꿈에 부풀어 희망을 갖고 지하철을 타고 교대역 강의실에 도착했다.

몇 사람이 이미 와서 기다리고 있었고 강의시간이 되자 어느새 강의 들으러 온 사람들도 가득했다. 이 사람들도 나와 같은 마음으로 왔구나 하면서 서로 눈인사를 나누었다.

첫 시간부터 작가님이 자신을 소개하는데 울컥했다. 자신의 과거의 시련과 고통을 당당하게 말하면서 자신 있는 표정과 많은 사람들에게 자신이 배우고 터득한 것을 나눠주고 싶어서 글쓰기 작가가 되었다는 말이 진실하게 느껴졌고 3시간 내내 강의 들으면서 감동을 받았다.

다음 날 "작가님의 솔직하고 자신감 넘치는 모습에 감

동받았고 강의를 들으면서 정말 행복했어요. 누군가의 상처가 나의 상처를 치유하고 나의 상처가 누군가를 치유할 수 있는 글쓰기 작가가 되고 싶다는 생각을 해 준 특별한 최고의 강의였습니다. 감사드립니다."라고 댓글을 보냈더니 작가님이 "특별하게 닿았다니 저도 기쁩니다. 함께해 주셔서 감사합니다."라고 답글을 해 주셨다. 처음 만난 사이지만 서로가 시련과 상처를 안고 살았기에 공감할 수 있었던 것 같다.

그 다음 주 수강 등록하고 들은 두 번째 강의는 더욱더 감동을 받았다.

지하철을 타고 내려오는 길에 유리창에 비친 내 얼굴을 1시간 동안 바라보며 느꼈던 감정을 집에 도착하자마자 또다시 블로그에 댓글로 썼다.

"지하철을 타고 내려오면서 유리창에 비친 나의 얼굴을 보았어요. 평소에는 화장할 때나 옷 입을 때만 잠깐 거울을 보았는데 수원에 도착할 때까지 1시간이나 유리창에 비친 나의 얼굴을 보면서 언젠가 들었던 말년에 그 사람의 얼굴을 보면 그 사람의 살아온 인생이 보인다는 말이 생각났어요. 저는 지금까지 결혼한 후 30년 동안 새장 속에 갇힌 인생을 살아왔구나! 하는 생각이 들었고, 세상 사람들과 소통하며 공감할 수 있는 공간에 서 있다는 것이 행복한 시간이었습니다.

오늘 마지막 강의에서 "나는 날마다 모든 면에서 점점 더 좋아지고 있다"는 에밀쿠에의 명언을 깊이 새겨 긍정의 힘으로 좌우명을 삼아 노력하는 삶을 살아가려고 합니다.

작가님! 고맙습니다. 덕분에 새 삶의 목표가 생겼고 좋은 인연 되어 주셔서 감사드립니다."

라고 댓글을 썼다.

잠시 후 작가님이 바로 답글을 써 주었다.

"지금 쓰신 댓글처럼 글자 하나하나 정성만 들이면 멋진 책이 될 수 있습니다. 얼마나 소중한 삶이고 얼마나 가치 있는 나인지 알게 되는 길이 바로 책 쓰기입니다.

길 안내 제가 하겠습니다. 천천히 한 걸음씩 내딛으시면 됩니다."

작가님의 희망의 메시지를 받는 순간부터 용기가 생겨났고 나를 응원해 주는 부처님, 관세음보살님께 감사합니다. 라고 기도를 했다.

매주 일요일마다 강의 들으러 가는 발걸음은 피곤함도

잊은 채 가벼웠다. 같은 공간에서 강의를 듣는 사람들과도 인사를 나누며 어느덧 한 달이라는 시간이 지나갔다.

그리고 나의 글쓰기가 시작되었다.

지난 과거의 인생이 결코 부끄러운 삶이 아닌, 한 사람이 살아온 삶의 과정이었고, 앞으로의 삶은 더 소중하고 가치 있는 여행길이다.

오늘도 아침예불 끝나고 아침 참선 하는데 어느 순간 무의식 상태였다가 깨어나 보니 불빛과 동시에 죽비소리가 들렸다. 스트레칭하고 108배로 마무리하며 마쳤다.

아직도 참 나를 찾는 길이 멀고도 먼 여행길이구나? 생각하며 비가 내려서인지 항상 오시던 노보살님이 안 보여 스님 좌복 정리하고 부처님 전에 다기 물을 새로 올리고 삼배를 하고 집으로 돌아왔다.

기도 시작한 지 90일이 지나자 갑자기 왼쪽 무릎이 아파오기 시작했다.

이상하게도 절을 할 때는 아프지 않고 반대로 무릎을 펼 때 통증이 왔다. 참선하고 나서 스트레칭 할 때 다리를 펼치고 구부릴 때 통증을 참으면서 하게 되었다.

일주일이 지나도 통증은 멈추지 않았지만 이번 기회만큼은 절대로 포기하지 않겠다고 다짐하면서 더 간절하게 기도를 하던 중에 주지스님께서 소요산에 있는 자재암으로 성지순례를 간다는 소식을 들었다.

이번 달은 초하루 신중기도 중에 알 수 없는 마음이 일어나 사흘 신중기도 회향을 하게 되면서 자재암 성지순례를 가고 싶다는 마음에 이끌려 종무소에 가서 접수했다.

다음 날 아침, 성지순례를 가기 위해 평소보다 더 빨리 서둘러서 준비하고 새벽 예불과 아침 참선을 하였다. 출발할 시간 1시간이나 기다려야 하기에 방석을 깔고 기도하려다가 매일같이 기도할 수 있게 이끌어 주신 우리 법당에 모신 부처님을 바라보고 감사하는 마음으로 법당 청소하고 성지순례를 다녀와야겠다는 생각이 들어 구석구석 대청소를 했다.

청소를 마친 후 깨끗해진 법당을 바라보면서 14년 전 봉사하던 그 시절이 떠오르면서 초심자로 되돌아간 것처럼 환희심이 되살아났다.

아! 그 시절이 제일 즐거웠고 행복했던 시간이었구나.

불법을 만난 것이 최고의 행운이었음에도 미처 깨닫지 못하고 방황하며 살았다는 것에 아쉬움이 엉긴 묘한 감정이 들었다.

소요산에 있는 자재암에 도착해 동굴법당 나한전에서 신묘장구대다라니 기도를 마치고 돌아오는 차 안에서 옛 추억이 되살아나면서 한 치의 의심도 없고 걸림도 없는 초심자였을 때가 제일 행복했었다는 것을 다시 한번 느낄 수 있었다.

오로지 일심으로 누군가를 조건도 바람도 없는 무주상 보시로 보이지 않은 영가를 위해서 지극정성 공양물 준비하고 왕생극락 기도하던 시간은 내 인생의 최고의 가치 있는 삶을 살던 시절이었다. 한때 사법을 만나 마음에 상처를 받아 신심이 깨지기 시작하면서 한동안 잊어버리고 방황하던 시간은 재가 불자로서 또 다른 목마름의 수행 길을 걷고 있었던 것이었다. 이로 인해 시절인연이 되어 마침내 정법을 만날 수 있었고 참선 체험을 하면서 새로운 세계를 만났다.

부처님을 대상으로 그리지 않고, 부처님의 마음을 향해 절하고, 부처님이 하신 설법을 마음으로 친견할 수 있다는 것에 기도하며 공부할 수 있게 되었다.

끊임없이 올라오는 내 마음을 부처님께 바치면서 시봉하고 진실한 마음으로 수행 정진하면 언젠가는 내 마음 속에 부처님이 머무를 수 있을 것이다.

악몽 같았던 내 인생을 누군가에게 보여주기 부끄러운 삶이라고 생각했었는데 이제는 긍정적인 마음으로 글을 쓰면서 그동안 가슴속에 묻고 살았던 상처를 치유할 수 있을 것 같다. 묻어 두었던 상처를 꺼내어 글을 쓰다 보니까 누군가와 소통하고 공감하는데 부족했던 나를 뒤돌아 볼 수 있게 되면서 평온한 마음으로 바뀌어 항상 무거웠던 어깨가 한결 가벼워졌다.

어떠한 걸림도 없고 번뇌도 없는 삶을 살 수 있는 진정한 행운이 나에게도 찾아왔다.

아무리 불행이 찾아와도 이제는 당당하게 맞설 수 있는 용기와 나의 새로운 인생의 첫 발을 내딛는 이 순간이 행복하다.

희망을 갖고 도전하는 사람은 반드시 희망이 존재한다는 것을 알았다. 나에게도 뜨거운 심장이 뛰고 있었다. 의미 없는 인생보다 감동 있는 삶을 선택했다. 아무리 힘들어도 어쩌다 넘어진다 해도 그냥 주저앉지 않고 벌떡 일어날 수 있는 용기가 생겼다. 내 인생 꿈 너머 꿈을 찾아서 '나는 할 수 있다.' 라는 신념을 갖게 되었다. 그리고 '글장이' 블로그를 보게 되면서 드디어 꿈을 찾을 수 있도록 도와주신 작가님을 만났다.

'빈손'의 의미

보현선원에서 성도재일 철야정진 기도를 하게 되었다.

예전에 보적사에서 성도재일에 철야정진 기도를 했었지만 봉사할 당시였기에 직접 참여하지 못하고 기도하는 보살들을 위해 공양간에서 저녁과 새벽에 공양할 간식을 준비만 했었다.

기해년 12월 31일 새벽기도와 새벽 참선을 마치고서 1년 동안 기도를 할 수 있게 해 준 부처님께 감사하는 마음으로 법당을 깨끗하게 청소하고자 무릎 꿇고 엎드려 걸레질하면서 먼지를 닦고 있었지만 분별과 걸림으로 흔들렸던 내 마음을 참회하고자 정성을 다해 일심으로 수행정진 하겠다는 마음으로 청소를 했다.

경자년 1월 1일 새벽기도와 새벽 참선을 마치고서 또다시 법당 청소를 했다.

새해를 맞이하며 참 불자로 거듭나겠다는 소망과 석가모니 부처님께서 깨달음을 얻어 부처가 된 날을 기념하는 날을 맞이하여 부처님처럼 살겠다는 마음으로 기도를 했다.

1월 2일 저녁 9시 철야정진 기도가 처음이라서인지 내 마음은 두근거렸고 스님들과 석가모니불 정근을 하고 새벽 2시부터 회주 큰스님과 참선을 마친 후 새벽예불을 끝으로 도반들과 철야정진을 마쳤다. 철야정진을 마친 후 새벽기도를 같이 하는 도반 언니와 같이 한마음이 되어 법당을 즐겁고 행복한 마음으로 그동안 어리석었던 생각도 같이 닦겠다는 마음으로 함께 청소를 했다.

다음 날 아침 갑자기 두통이 시작되면서 온몸이 아파오기 시작했다. 아픈 몸을 참고 새벽예불과 참선을 마친 후 병원에 가서 진찰을 받았더니 몸살감기라고 했다. 처방전을 받아 약을 먹고 오랜만에 잠을 푹 잤다. 2년 전부터 상담심리학 공부하며 새벽장사 끝나고 편하게 누워서 잠을 이루지 못하고 의자에 앉아 잠이 들곤 했었다.

새벽까지 장사하고 새벽예불과 참선을 마친 후에 감기약 때문인지 일주일 내내 아무것도 할 수 없었고 남편도 잠에 취해 있는 나를 깨우지 않고 혼자서 장사를 하였다. 오랜만에 일주일 동안 아무 생각 없이 새벽기도를 다녀온 후 감기약을 먹고 잠을 자서인지 감기가 빨리 나은 것 같았다. 정신을 차리고 보니 일주일 동안 무기력하게 잠만 잔 내 모습을 보고 알 수 없는 마음이 또다시 일어나기 시작했다.

새벽예불을 마치고 참선을 하는데 또다시 번뇌가 일어나기 시작했고 호흡과 마음도 집중이 안 되어 온갖 번뇌로 머리가 무거워지기 시작했다.

다음 날도 똑같이 온갖 번뇌로 가득했다. 그 순간 알 수 없는 마음이 일어났다.

다음 날도 똑같은 현상으로 번뇌가 일어나는 순간 알 수 없었던 마음이 일어났는데 이유 없이 화가 나기 시작했다. 그 다음 날도 아침 참선 하는데 나도 모르게 참을 수가 없어 화가 나서 마음속으로 부처님께 소리쳤다.

부처님! 제가 누구입니까? 왜 이렇게 힘들게 하나요? 어떤 이유로 언제까지 이렇게 몸과 마음을 힘들게 하나요?

"제가 누구입니까?" 하고 화두를 들었다.

잠시 후 슬픈 마음이 일어나기 시작하면서 눈물이 나기 시작했고 참고 또 참았지만 도저히 멈출 수가 없어 소리 내어 울고 말았다. 고통 속에 살던 나의 지난 시간이 한 장면 한 장면으로 스쳐갔고 그동안 참았던 눈물이 한꺼번에 솟구치면서 멈출 수 없게 되었다.

그 다음 날 또다시 "제가 누구입니까?" 화두를 들고 참선을 하는데 갑자기 온 세상이 멈추었고 앞에 계신 큰 스님도 부처님도 안 보이고 생각조차도 사라지려는 순간 '빈손'이라는 마음이 일어나기 시작했다.

'빈손'이라는 생각에 멈추어버렸고 큰스님의 죽비소리에 깨어나면서 참선을 마치는 순간까지 머릿속에서 떠나지 않았다. 하루 종일 '빈손'이라는 생각에 사로잡혀 아무 것도 할 수 없을 정도로 의문에 사로잡혀버렸다.

그러다가 언젠가 읽었던 여훈작가의 글에 양손에 더 많은 것을 움켜쥐는 것도 좋지만, 한 손쯤은 남을 위해 비울 줄도 알아야 하고 나누고 난 빈손엔 더 큰 행복이 채워진다. 움켜쥔 손은 누군가에게 빼앗길 수 있지만 빈손은 아무도 빼앗을 수 없다. 세상에서 가장 크고 따뜻한 손은 빈손이다. 라는 글이 떠올랐다.

그리고 어느 노인이 죽음을 앞두고서도 놓치지 않으려는 욕심 때문에 유명한 이야기도 있다. 그 노인은 평생을 돈을 모으는 데만 일생을 보냈고 누구에게도 베풀지도 않았으며 심지어는 자식들에게조차도 인색했다. 재산을 모으며 큰 빌딩을 소유하고 있었지만 나이가 들어 병에 걸려 죽음 앞에서도 자신이 지은 빌딩을 매일같이 찾아가 쳐다보며 한숨만 쉬다가 이 세상을 떠났다. 그 이후 자식들은 평생 모은 재산을 쓰지도 못하고 돌아가신 아버지를 위해 안타까운 마음에 손 모양을 돌로 만들어 빌딩 앞에 세워놓았다. 사연을 들은 세상 사람들은 오히려 죽어서도 욕심을 부린다면서 가지고 갈 수 없는 빈손이거늘 남에게 베풀지도 못한 불쌍한 노인이라며 손가락질을 하면서 욕하고 지나갔다고 한다.

얼마 지난 후 아무도 돌보지 않아 손 모양은 흉하게 변하고 결국 철거되었다고 한다.

만약에 살아생전 베풀며 살았더라면 어떤 노인은 평생 모은 돈을 어려운 이웃에게 베풀며 살다 간 마음씨 좋은 노인이라는 이름이라도 남아있을 텐데... 죽어서도 욕심을 놓지 못하는 불쌍한 노인이라는 놀림을 받지 않았을 것이다.

결국 남은 것은 빈손이거늘.

이제야 빈손의 의미를 알게 된 순간, 나의 어리석음이 시련과 고통 속에서 살아왔고, 남편과의 신뢰가 깨지는 순간 나 스스로 누구도 믿지 못하고 오로지 나의 생각만 옳다고 주장하며 나의 허물을 못 본 채 마음속으로 원망하면서 남편을 포용하지 않고 살아왔던 것이다. 나의 아픈 상처만 바라보고 남편의 아픈 상처를 한 번도 쳐다보질 못했다. 애들 아빠니까 당연하고, 남편이니까 당연히 해야 된다는 생각만 했지 한 번도 미안하고 고맙다는 생각조차 못했다. 지금까지 든든한 남편이 있었기에 내가 살아왔고 현재의 나의 모습이 있기까지 말없이 지켜주고 있었는데도 알아차리지 못했던 것이다. 항상 내 곁에 머무르고 있는 진정한 부처님이 남편이었음에도 알아차리지 못하고 어리석음에 눈뜬장님으로 살면서 보이지 않는 부처님을 찾아서 멀리서만 헤매 다녔다는 것을 알게 되었다.

상처를 준 모든 사람들에게 군림하려는 욕심과 돈에 대한 집착으로 아무리 발버둥 쳐도 항상 그 자리에서 맴돌며 살아온 세월이 빈손이었다는 것을 느낄 수 있도록 인도해 준 것이다.

다음 날 관음재일 법회가 끝난 후 남편이 좋아하는 김밥을 사가지고 가겠다고 전화를 했더니 엄청 좋아하는 목소리가 들려왔다.

남편과 김밥을 먹으면서 오랜만에 마음을 열고 대화를 나누었다. '여보 그동안 고맙고 미안해요. 내 투정 말없이 받아주고 내 곁에서 나를 지켜줘서 고마워요. 우리 같이 노력하면서 살고 아이들은 이제 다 컸으니까 우리 둘이 맛있는 것도 사 먹으면서 즐겁게 살아요."

남편이 말했다.

"나도 당신을 힘들게 해서 미안해. 이제는 아이들 그만 걱정하고 당신이 하고 싶은 공부나 해. 그동안 고생했으니까 그만 가게 정리하고 세상 밖으로 나가 봐. 결혼할 당시 공부시켜주겠다고 한 약속 지금이라도 뒷바라지해 줄게."

남편과 20년 만에 진지하게 서로 속마음을 소통하며 공감할 수 있었다.

20년 전에 가정파탄이 되면서부터 친정아버지가 돌아가시고 여동생을 잃은 후 나는 마음의 문을 닫고 살아왔으며 그 당시 매일 눈물만 흘리다가 어느 순간 아이들 얼굴을 보면서 두 번 다시 울지 않겠다고 결심한 이후 지금까지 한 번도 울지 않았다.

아이들을 키우기 위해 이를 악물며 살았고 조카들이 내 품에 안기는 순간 더욱더 내 몸도 돌보지 않고 억척부리면서 살아왔다. 어떤 장애가 와도 참고 이겨내면서 어느 누구에게도 나의 허물을 보이기 싫어 항상 웃으면서 살아왔다. 주변 사람들은 아무도 우리 가족에게 있었던 슬픈 일을 모르기 때문에 자녀들을 모두 대학공부 시키고 열심히 산다고 칭찬해주는 사람, 부럽다는 사람들도 많았다. 조카딸들도 건강하게 잘 자라서 항상 보람된 삶을 살고 있다는 자부심으로 어깨에 힘을 주며 당당하게 살고 있었다.

나에게 '빈손'의 의미는 남에게 보여주기 위한 웃음이 아닌 마음을 담은 진정한 웃음을 찾아가라는 뜻임을 알게 되었고 마음을 담은 웃음은 모든 이들에게 행복을 나누어주는 것도 '자비'였던 것이다.

또다시 일어난 번뇌 속에 참고 참았던 마음을 부처님께 허심탄회하게 털어 놓았다.

형식에 얽매이지 않았다. 생각하는 마음을 그대로 힘들다고 했다. 너무 힘들다고 했다. 언제까지 힘들어야 하나요? 제가 누구입니까? 마음속에 있는 생각을 표현했다.

드디어 내 마음속에 있는 부처님이 답을 해 주었다. '빈손' 의 의미를 찾으라는 생각에 머무르게 되면서 나에게 있어서 가장 소중한 것은 바로 나 자신이었다. 나의 내면을 똑바로 바라볼 줄 알아야만 빈손을 채울 수 있다는 것을 가르쳐 주었다.

진실한 마음과 본성

오늘도 새벽예불을 마치고 회주스님과 아침 참선을 하였다.

반가부좌로 앉아서 호흡을 가다듬고 마음속으로 '부처님 감사합니다.' 한 후 호흡을 고르는데 '진실한 마음'이라는 단어가 머릿속에서 반짝이더니 내 가슴속으로 들어와 머물렀다. 그 순간 나도 모르게 '아! 이거였구나. 빈손을 느끼게 해 주신 의미가 진실한 마음을 보라는 뜻이었구나!' 겉으로 보이는 것만 보지 말고, 겉모습만 보여주지 말고, 진실한 마음을 보고, 진심을 보여주고 베풀면서 살아가기를 바라며 나의 본성을 찾아가라는 뜻이었다.

'빈손'에서 '마음' 그리고 '진실한 마음' 이 곧 '본성'이었다.

다음 날도 죽비소리를 듣고 반가부좌로 호흡을 가다듬고 앉았다.

고요하고 평온한 마음으로 부처님처럼 눈을 지그시 감고 삼매에 들어갔다.

무의식 속에 '마음의 소리'에 머무르고 온 세상이 멈추어 버린 것처럼 내 몸은 움직일 수가 없었다. 오로지 '마음의 소리' '마음의 소리' '마음의 소리' 만 들리고 아무리 몸부림쳐도 꼼짝할 수 없었다. 참선하는 동안 계속해서 '마음의 소리' 뿐이었다. 또다시 의문을 갖고 '왜 마음의 소리만 떠오를까?' 하는 순간 '본성'이 스쳐갔다.

아! 들리는 것만 듣지 말고 '마음의 소리'로 들으라는 것임을 알게 되었고 닫혀있던 마음의 문을 활짝 열고 세상 사람들에게 귀를 기울이며 '마음의 소리'를 듣고 지혜안을 열어 '빈손'을 아름다운 손으로 채워야만 자신의 '본성'을 볼 수 있는 지혜가 생겨 '불성'을 갖게 된다는 것을 알 수 있었다.

시절인연이 닿으면서 내 삶에 조금씩 변화가 일어났다.

청소년 상담사가 되겠다는 마음으로 상담심리학 공부를 시작하게 되어 선배를 만나 10년 전 만났던 스님의 소식을 듣고 잠자고 있던 불심이 서서히 일어나기 시작했다. 며칠 후 스님을 찾아가 뵙고 돌아와서도 아직 인연이 안 닿아서인지 1년이란 시간이 지나고 나서야 스님을 다시 만날 수 있었다.

1년 전 기해년 음력 1월 24일 관음재일에 보현선원으로 향했다.

한주스님과 인연을 맺게 해 주시고 보현선원과의 인연에 감사하다는 마음으로 관세음보살님께 관음재일에 1년 동안 떡 공양 올리겠다고 약속을 했다. 그렇지만 아직도 말문이 막혀 부처님만 바라보며 삼배를 올리는 것만이 유일한 기도였다.

1년 동안 회주 큰스님의 초하루, 관음재일 법문을 놓치지 않고 경청하면서 마음공부를 하기 시작했다.

오늘도 철학자 노자의 '화혜복지소의 복혜화지소복 – '화는 복이 의지하는 바이고 복은 화가 잠복하는 곳이다. – 즉 불행이 행복으로 변할 수 있고, 행복도 불행으로 변할 수 있다는 법문을 듣고 지나간 내 삶을 뒤돌아볼 수 있게 해 주셨고, 제갈량의 계사서의 글을 일부 발췌한 '비담박무이명지, 비령정무이치원' –담박하지 않으면 뜻을 밝힐 수 없고, 고요하지 않으면 먼 곳에 이를 수 없다. – 마음이 깨끗하고 맑은 것이 담박이다. 선입견 없이 평온한 경지가 영정이다. 큰 뜻을 펼침에는 마음가짐

이 우선이란 말이다. 이 글을 통한 법문은 인위를 가하지 않는 욕심과 꾸밈이 없는 자연 그대로의 모습으로 돌아가라는 뜻이었으므로 이 또한 '본성'이라는 깨달음으로 서서히 다가설 수 있는 길로 안내해주었다.

삶의 역경이 없었더라면 '지혜'는커녕 '진리'를 모르는 무지의 세상을 살아가고 있었을 것이다. 진정한 부처님의 법을 만나기 위해 먼 길을 돌고 돌아서 시절인연이 되어 회주 큰스님의 법문은 의지를 가지고 마주해야 한다는 신념을 인생에 흔들리지 않는 이정표가 되어 주었다.

점심공양이 끝난 후 회주 큰스님이 부르셨다. 이야기하고 싶은 말이 있으면 하라고 하셨지만 이미 법문으로 해답을 주셨기 때문에 먼저 감사하다는 뜻으로 절을 올리고 참선하면서 느꼈던 '빈손'의 의미를 오늘에서야 알게 되었으며 그동안 살아온 나의 삶을 간략하게 말하고서 앞으로 명상지도사의 꿈을 갖고 공부하겠다고 말씀드렸더니 열심히 하라는 격려와 어떠한 장애와 경계도 극복해야 된다고 말씀해 주셨다. 아직 말씀드리기엔 시기상조라는 생각에 마음속에 있는 말을 다 꺼내지 못하고 속으로 삼키며 새로운 삶을 개척해 나가는 모습으로 보답하겠다고 결심하였다.

성도재일 두 달 전에 보현보살님과 선재동자를 모시는 불사원력을 세우고 기도하는 중에 신비한 체험을 한 이야기이다.

8년 전에 전국사찰 성지순례하면서 한주스님의 은사스님을 뵈었을 때 관음도를 액자에 넣어 선물로 주셔서 거실에 걸어놓았고 그동안 관세음보살님만 바라보았었다. 그런데 아침 새벽예불 끝나고 집에 들어오면서 관세음보살님을 바라보게 되었는데 관음도 속에 선재동자가 두 손 모아 관세음보살님을 바라보고 있는 모습이 눈에 들어왔다. 마치 꿈을 꾸고 있는 것 같았다. 8년 동안 선재동자가 왜 안 보였을까? 신기하다는 생각에 관음도를 보자기에 싸서 모시고 와 도반 언니들에게 보여주었더니 처음에는 잘 안 보인다고 하다가 선재동자를 발견하고는 신기한 일이라고 말해 주었고 마침 한주스님이 오셔서 보여드렸더니 선재동자가 관세음보살님을 만났을 때라고 설명을 해 주셨다.

화엄경 입법계품에 나오는 구도자인 선재동자가 53명의 선지식을 찾아다니다가 마지막으로 보현보살님을 만나 십대발원을 듣고 아미타불의 국토에 왕생하여 큰 뜻을 이루었다는 이야기가 전해 내려오고 있다. 드디어 선재동자처럼 참 불자로 거듭날 수 있는 시절인연을 만나 참선하면서 진정한 나를 스스로 깨달음의 세계로 중생의 길로 인도해 주시고 불성을 찾으라는 가르침이었던 것이다.

14년 전 아무것도 모르는 초심자였을 때 법당보살 소임이 주어진 것도 우연이 아니었으며 수원사에서 기초교리를 배우고 용주사에서 선방스님 공양을 해 드린 것도 인연 따라 간 것이었으며 그 이후로 잘못된 선택으로 신심이 사라지려는 순간 또다시 선방스님과 인연이 되어 가르침을 받고 멈출 수 있게 해 주신 것도 우연이 아닌 것 같다.

만약에 멈추지 않았더라면 끝없이 추락해서 험난한 인생을 살고 있었을 것이고, 멈출 수 있었기에 비로소 지혜안이 조금 열려 부처님의 지혜를 배우고 좀 더 넓은 시야를 가지고 이 세상을 살아가는 존재가 되지 않았나 싶다.

석가모니 부처님께서 '삶이란 오직 이 순간 현재라는 찰나의 시간 속에만 존재한다. 과거는 이미 지나갔고 미래는 아직 오지 않는다. 오직 존재하는 것은 현재다. 당신이 살 수 있는 시간은 지금 이 순간뿐이다. 당신이 이 순간을 놓친다면 결국 삶과의 약속을 어기는 것이다.' 라는 설법을 글로서 만난 적이 있다.

아는 것에 의해서가 아니라 아는 것을 실천할 때 비로소 지혜로운 사람이 될 수 있고 인생에는 두 가지 길이 있듯이 아무도 가지 않은 길을 가보려고 한다.

참선을 하다 보면 수없이 많은 번뇌가 일어나는 것을 볼 수 있다. 일어나는 번뇌를 그냥 무심코 바라만 보면 그 번뇌는 그 순간 사라지고 마음은 한층 고요해진다. 자연스럽게 나타나는 현상들에 대해서 마음을 챙기고 관찰하는 것을 마음 챙김이라고 한다. 현재 일어나는 모든 현상을 그대로 바라보며 직접적인 원인을 알아차림으로 마음 챙김을 확고히 하는 것이다. 참선 체험은 번뇌 속에서 알아차림으로 내려놓음과 비움으로써 나의 잠재력을 발견할 수 있는 계기가 되었다.

천수경에 '백천만겁난조우' 구절이 있다. 부처님 법은 백천만겁이 지나도 만나기 어렵다고 한다. 오래전에 어렵게 만나고도 알아보지 못한 것들이 무엇일까? 나에게 일어난 지금 백천만겁에도 만나기 어려운 귀한 인연을 만났다. 바로 시절인연이다.

삶의 역경이 있었기에 시절인연을 만나 지혜안이 열려서 내면을 바라볼 수 있었다.

제 5 장 삶이 활짝 피어나는 꽃처럼

낙오자의 인생에서

학창시절에 욕심은 많았으나 소심한 성격 때문에 용기가 없었으며 그마저도 남에게 항상 양보하고 겉으로 표현하지 못했다. 단짝인 친구를 만나면서 멋진 꿈을 꾸며 고교시절을 보냈어도 가정형편 때문에 꿈을 포기했다. 그 당시 친구들이 부러워하는 대우그룹에 입사했다. 그러나 나는 행복하지 않았다. 2년 만에 퇴사하고 무작정 서울로 상경했다. 월세방을 얻어 살면서 조그만 회사 경리로 취직했다. 배움의 꿈을 놓지 못해 낮에는 일하고 밤에는 종로에 있는 입시학원을 다니며 공부를 했었다. 그러나 생각처럼 쉽지 않아서 방황하다가 포기하고 남편을 만나 결혼했다. 아이들을 낳고 행복하게 살 수 있는 평범한 삶을 선택했으나 그것조차도 나의 인생길은 순탄하지 않았다.

왜! 이렇게 험난한 인생을 살아야 했을까?

지금에 와서 생각해 보니 '~~~ 때문에'라는 핑계를

대며 살아왔다.

나는 혼자 생각하며 판단하고 결론을 내리면서 살았으며 학창시절 처음으로 큰 꿈을 꾸었을 때도 한번이라도 속마음을 터놓고 부모님과 소통의 대화를 했더라면 상황이 달라질 수 있었다. 가정형편이 어려운 부모님이 걱정하실까 봐 혼자 생각하고 쉽게 꿈을 접고 말았다. 그리고 부모님 모르게 혼자 입시학원에 다니며 힘들게 다시 공부를 시작했으나 끝없는 방황 속에서 또다시 쉽게 포기해 버린 삶을 부모님 원망하면서 살아왔다.

평범한 결혼이라는 삶 속에서도 시댁식구의 갈등 속에 운명이라는 놈은 나를 내버려두지 않고 추락의 고통 속으로 떨어뜨리고 말았다.

~~~ 때문에 라는 이유로 핑계를 대며 너무 쉽게 포기해버린 낙오자의 인생이 되어버렸다. 세상에는 돈이 최고라 생각하며 다른 가치보다 우선시했다. 돈으로 계산할 수 없는 것들이 훨씬 많이 있음에도 깨닫지 못해 보이지 않는 귀한 것들에 대해서 감사한 마음을 모르고 살아왔다. 그 행복도 잠깐 머물렀을 뿐 희망도 목적 없는 삶은 나를 외롭게 만들었다. 목마름의 갈증을 채워줄 수 있는 무언가를 찾기 위해 먼 길을 해매 다녔다. 자신의 존
~~~

귀함을 잊고 혼돈과 상통하며 살았다. 혼돈이란 눈이 있지만 보이지 않고 귀도 있지만 들리지 않는 환상의 동물이다. 덕망 있는 사람을 알아보지 못하고 내 생각만 옳다는 생각에 꼬리를 물고 빙빙 돌고 있었을 뿐이었다. 두렵고 엄두가 나지 않아 해봤자 안될 것이라고 시도하지 않은 채 내 인생을 방관하며 살았다.

길고 긴 여정 속에 마침내 부처님의 가르침을 만났다. 살면서 힘든 상황도 큰 어려움도 겪는 게 인생이라는 것을 알게 되었다. 지혜로운 사람은 위기를 기회로 만들어 나갈 수 있지만 생각도 하기 전에 쉽게 좌절하여 돌아선다면 스스로 생각해 낼 수 있었던 지혜도 함께 사라진다는 것도 알게 되었다.

겉은 화려하지만 가시와 같은 사람, 누가 봐도 화려하고 아름다운 꽃을 가졌어도 몸에 가시가 있다면 아무도 그 사람에게 다가오지 않는다. '침묵은 금이다.' 라는 말이 있지만 과묵한 사람이 되라는 뜻이 아니고 다른 사람들의 의견을 잘 '경청' 할 줄 알아야 한다. 물론 무조건 받아들이는 예스맨이 되라는 뜻이 아니다. 좋은 의견은 잘 받아들이고 나쁜 의견은 그것이 왜 나쁜 의견인지 판단할 줄도 아는 지혜로운 사람이 되라는 것이다.

다시 말해서 부정적인 생각보다 긍정적인 생각을 더 많이 한다면 언제든, 무엇을 원하든 어제보다 나은 오늘을, 오늘보다 나은 내일을 만들 수 있다.

생각을 바꾸면 모든 것이 바뀌고 생각이 미래를 결정하듯이 게으름과 능력 부족 때문에 실패하기도 하지만 근본적인 실패의 원인은 정신적 태도와 감정적인 반응에서 비롯된다.

사람들은 보통 자기 자신을 객관적인 시각으로 볼 수 없기에 혼란 속에서 불행한 삶을 살아가고 있다. 나 자신이 강해질 수 있고 세상에 당당히 맞설 수 있는 불굴의 정신으로 굴하지 않고 자기 뜻을 이루는 사람은 언제나 존경받기 마련이다. 절망에 지지 않고 자신의 희망을 잃지 않는 사람은 타인에게 그 희망을 나누어 줄 수 있을 것이다.

아무리 힘든 고난과 역경이 가로막아도 절대로 끊어지지 않는 사람 사이의 끈이 있다.

사람은 혼자 살 수 없기 때문에 태어날 때부터 죽을 때까지 함께 살아야 하고 타인과 서로 도움을 받아야 살아갈 수 있다. 누군가를 돕고 베풀고 사는 인생은 배려에서 시작된다.

요즈음 우리 사회는 어떠한가?

학생들은 성적으로 줄 세우고, 어른들은 재산이나 권력으로 줄 세우고, 서로서로 치열한 경쟁 속에 누군가를 짓밟고 그 줄에서 누구보다 맨 앞에 서려고 한다. 앞만 보고 열심히 달리기에 미처 눈치 채지 못했을 뿐 타인의 도움을 받고 살았고 나도 누군가의 등을 힘껏 밀어줄 따뜻한 손과 마음을 가지고 있었다.

풍족함은 언젠가는 사라지게 될 것이고 미래를 준비하지 않으면 후회하게 될 것이다. 세상에 영원한 것은 없다. 언제까지 낙오자의 인생에서 살 것인가?

현실을 부인해서는 현실을 극복할 수 없다. 손자는 현실을 인정하고 꼬리를 내릴 때는 인정사정없이 숙일 줄 아는 것 역시 용기라고 했다. 비겁한 사람들이 자주 말하듯 '강한 자가 살아남는 것이 아니라 살아남는 자가 강한 자' 이다.

사실 인생에는 정답이 없다고 한다. 세월이 흐르고 사회생활을 하면서 내가 원하든 원하지 않든 이런저런 비겁한 주변의 음모와 술수에 당한 적 있고 원통해한 적이 많았다. 또한 복잡한 상황에 대해서 어떻게 풀어야 될지 망연자실한 적도 많았다. 우리는 한정된 사회 환경 속에서 모든 상황에 대한 경험과 해답을 알 수는 없다. 다만 책을 통해 간접 경험할 수 있고 좀 더 지혜로운 삶을 선택할 수 있을 것이다.

나는 글쓰기를 선택했다. 남들처럼 유명하지도 화려하지도 않은 굴곡된 삶이었지만 역경을 딛고 일어선 나의 모습은 누군가에게 작은 희망이라도 동기부여가 되었으면 한다.

지난 과거를 원망하거나 후회하지 않는다. 내 인생 삶의 일부였고 나약했던 마음을 현재의 나로 강하게 만들어 준 과정일 뿐이다. 실패도 두렵지 않다. 경험을 쌓다보면 언젠가는 미래의 내가 있을 것이라는 확신과 낙관으로 바꾸며 살아가려고 한다.

신념을 가지고 도전하면 못할 일 없다고 하지 않은가? 인생에서 이루고 싶은 것이 있다면 자기 자신을 믿고 모험을 감수하지 않으면 아무것도 이룰 수 없다. 만약에 실패하더라도 미래를 위한 교훈을 얻는 선물이며 다시 도전할 수 있는 힘이 된다. 인생의 목표를 확실히 알면 반드시 성공과 행복한 순간이 올 것이다.

나는 니체의 격언처럼 다시 살아도 지금의 삶을 살고 싶도록 살기 위해 노력하려 한다.

역경의 아름다움을 느끼다

모든 걸 휘몰아가는 세월 속에 긴 인생길 좋은 길벗을 만났다.

이 나이가 되어서야 알게 된 것은?

인연을 가꾸는 것도 내 몫이요, 내 곁에 내 사람으로 만드는 것도 내 몫이다.

살다가 세월의 풍파로 연이 끊어져 만나지 못한 것도 내 몫이요, 이 모든 것이 남이 아닌 내 탓인 것을, 괴로움과 상처로 가득한 인생도 내 탓인 것을 알게 된 이 순간이 행복으로 다가온다.

모든 현상에는 그에 합당한 논리적인 이유가 있다고 생각한다.

내 자신에 대한 불신을 안고 한 발짝도 못 나가는 열등감으로 나와 마주서질 못했기 때문이다. 삶의 언저리에서 안간힘을 쓰고 버티었지만 새로운 장애물이 나타나면 또다시 어려워지는 나약한 마음 때문에 고난의 연속이었던 것이다.

나를 바라보질 못해 불행하다는 생각에 생각을 보태어 오직 자신의 욕구에만 충실하고 다른 사람들에 대한 무관심으로 삶의 무게를 홀로 짊어지고 있었다. 실타래처럼 엉킨 삶의 문제를 이리 당기고 저리 당기면서 오히려 더 엉키게 만들어 버리고 뒤엉킨 실 뭉치를 풀기 위해서 실이 맨 처음 꼬이기 시작한 것을 찾지 않고 미움과 원망으로 가득 찬 시간 속에서 살고 있었던 것이다.

나의 어리석음은 자만과 편견에 빠져 자기중심적으로 감정표현이나 대화하는 것에 서툴렀다. 혼자서 사색하고 고민하며 논리적인 사고도 못하고 쉽게 포기해 버렸기에 불행의 씨앗을 키우고 있었다.

역경에도 아름다움이 있다는 것을 느낄 수 있는 것은 희망의 씨앗을 키우기 위하여 인고의 시간으로 아름다움을 만들어가는 과정이었다. 내 인생길에 좋은 길벗이 있어서 다행이다.

단 한 번뿐인 인생여행길에 길벗이 있었기에 바람에 저항하는 새보다 바람을 타고 나는 새가 멀리 나는 것처럼 벌떡 일어나 바람에 순응하며 다시 날아가려고 한다.

희망을 갖는 자에게만 희망이 존재하듯이 내 삶을 바꾸는 터닝 포인트가 되어 줄 꿈 너머 꿈을 향해 달려가고 있다.

욕망과 집착을 버리고 자연의 법칙을 깊이 이해하고 모든 존재하는 것은 연기의 법칙에 따라서 생겨나듯이 인연이 다하면 사라지고 변한다는 것, 모든 조건에 의해서 형성되고 조건이 다하면 변한다는 것이 진리임을 배울 수 있는 부처님 법을 만난 것은 최고의 행운이다.

시간과 공간을 넘어 시절인연이 도래하면 만날 인연은 반드시 만나게 되듯이 깨달음도 시절인연이 있어야 한다고 한다. 나의 삶의 여정 속에 만난 한주스님, 그리고 참선 체험으로 만난 회주 큰스님의 법문을 깨달음으로 다가서는 시절인연으로 만나면서 번뇌와 고통 속에서 살고 있는 길고 긴 무명에서 벗어날 수 있었다.

소소한 일상의 즐거움을 느끼되 행복함에 머무르지 말고 진취적으로 나아가 목적과 목표가 있는 삶의 지혜로 살아가라는 소명이 주어진다면 기꺼이 받아들이려고 한다.

시련과 어려움을 포기하지 않고 견디었기에 내일의 도약을 위한 튼튼한 기초가 되고 발판이 되어 새로운 통찰력으로 지혜와 용기를 얻을 수 있었다. 마치 진흙 속에서 꽃을 피웠어도 아름다움을 함부로 뽐내지 않는다는 새하얀 연꽃처럼 내려놓음과 비움으로 채워가는 삶을 살고 싶다. 내면의 빛을 밖으로 발산하듯이 누군가의 삶을 밝은 쪽으로 안내해 주고 빈손을 채울 수 있는 따뜻한 손이 되려고 한다. 그동안 너무 쉽게 포기했던 '가지 않은 길'에 대한 미련이 남을 것 같아서이기도 하다.

미국의 로버트 프레스트 시인이 쓴 세계의 명시로 알려진 '가지 않은 길' 이 있다. 세상 모든 길은 두 갈래로 나누어지고 간 길과 가지 않은 길, 알려진 길과 알려지지 않은 길, 삶과 선택의 길을 걸어야 한다. 시인은 사람들이 적게 간 길을 택했고 그 선택이 모든 것을 바꾸어 놓았다고 한다. 이제 내가 가야할 길을, 선택해야 하는 길을 더 이상 망설이지 않고 아무도 가지 않은 길을 가려고 한다. 확실히 존재하는 힘은 불가능도 가능으로 바꿀 수 있다고 믿는다. 그 내면에는 신념의 에너지인 '마음 챙김'이 있기 때문이다.

불교 참선의 핵심적인 가르침의 마음 챙김은 오늘날 세계적으로 명상 시대를 이끌고 있다. 현재 순간을 있는 그대로 바라보라는 뜻이며 알아차림으로써 마음 챙김을 확고히 하라고 배웠다. 최근 들어 마음 챙김을 심리학적 구성 개념으로 정의하고 있는 프로그램도 많이 있다. 모든 사람들의 참선 체험은 똑같을 수 없고 내가 처음으로 참선을 체험할 당시에는 잠재의식 속에 숨어 있던 감정으로 온갖 번뇌가 일어나서 무척 힘들었던 기억이 남아 있다. 호흡을 세어가며 시작하려고 해도 어느 순간 번뇌로 가득 차서 헤매다 깨어나기를 반복하다가 또 어느 순간 멈추기도 하고 계속해서 변화가 생겼었다. 시간이 지나 어떤 때에는 나 스스로 졸음이 오는 것과 번뇌가 생겨난다는 것을 알아차림으로써 마음의 고요함을 체험할 수 있었다. 앞으로도 참선 체험을 통해 어떻게 전개되고 펼쳐지더라도 알아차림으로써 마음의 평화를 느끼며 심리적 안정감을 찾을 수 있다는 생각을 해 본다.

시련과 역경 속에 핀 꽃은 시들지 않을 아름다운 꽃이 되어 삶의 행복으로 가는 길이 펼쳐질 것이다. 볼 수도 만질 수도 없는 것이 마음이지만 사람을 움직일 수 있는 것은 진실한 마음이기 때문이다. 동행은 같은 방향으로 가는 것이 아니라 같은 마음으로 가는 것이라고 한다. 나 자신에게도 용기를 불어넣어 주고 누군가의 삶에도 용기를 불어넣어 삶의 지표가 될 수 있다면 그것이 행복이 아닐까 생각해 본다.

프랑스의 화가 르누아르는 우울했기 때문에 밝은 그림을 그렸다고 한다. 나도 절망했었기 때문에 꿈과 희망을 갖고 글을 쓰기 시작했다. 내 인생 노트에 과연 무엇을 써내려가야 할까? 우울함을 밝음으로 절망을 희망으로 쓸 수 있다면 누군가와 도움을 주고받으며 그 희망을 나누어줄 수 있는 기회가 찾아올 것이라 믿는다.

인생은 기차여행과 같다고 한다. 태어나는 순간부터 어느 역에서든 같이 타는 사람, 내리는 사람, 가끔 철로를 탈선해서 다른 방향으로 가는 사람, 수많은 사람들 속에서 서로 다른 길을 선택해서 가는 인생길은 인연이라는 좋은 만남과 때로는 피할 수 없는 슬픈 인연을 만날 수 있다. 어느 역에선가 우리가 내려야 할 시간이 되었을 때 기차여행에 동승한 소중한 인연들에게 감사함을 느끼며 아름다운 작별의 날까지 달려가려고 한다.

진흙 속에서도 아름다운 연꽃이 피듯이 역경 속에서도 아름다움이 자라고 있었다.

보이지 않았을 뿐이다. 거듭된 실패와 좌절 속에서도 꿋꿋하게 버티며 희망을 놓지 않았다.

험난한 인생길에 길벗을 만나 시간 가는 줄 모르고 긴

세월을 버틸 수 있었다. 나의 길벗은 내 마음속에 머무르고 있는 부처님이다. 항상 내 안에 있는 줄 모르고 먼 곳만 바라보며 헤매다가 드디어 만났다. 이제는 마음속에 숨은 불성을 찾으러 가는 중이다.

삶이 활짝 피어나는 꽃처럼

어느 작가가 말했다.

인생에 꿈은 있으세요?

원하는 것은?

왜 살죠?

무슨 목적이 있나요?

지금 당신이 이 질문에 또박또박 말할 수 있다면 당신은 행복한 사람이지만 이 질문의 대답을 흐린다면 불행한 사람일 거라고 했다.

낙오자의 인생에서 잃어버린 아니 잊고 있던 꿈을 찾으러 가려고 한다.

오늘이 있어 감사함을 알고 희망이 있어 내일을 바라본다.

하루라는 짧은 시간이지만 헛된 날이 되지 않기를, 삶이 활짝 피어나는 꽃처럼, 과연 나의 시대적 소명이 무엇인지 알고 싶어졌다.

나의 삶이 얼마나 사회적 가치가 있는 것인지도 알고 싶고 존재의 삶이 사회적 가치의 삶을 향한 나의 목표가 될 것이다.

늘 반복되는 초라하고 지루한 일상 속에서 생각이 통하여 작은 것에도 웃음을 나눌 수 있는 소중한 만남과 사람들을 곁에 두고 함께 있을 수 있다는 것은 행복한 일이다.

타고난 재주와 능력도 중요하지만 누구를 만나느냐는 것은 더 중요하다, 그 어떤 신동도 좋은 스승, 좋은 멘토를 만나야 빛이 나기 때문이다.

실제로 추사 김정희의 스승은 당시 북학파의 대가인 초정 박제가였다고 한다. 여섯 살 때 추사가 쓴 입춘첩을 대문에 붙였는데 이 글씨를 보고 추사의 부친을 찾아와서는 '이 아이는 앞으로 학문과 예술로 세상에 이름을 날릴 재능이 있으니 가르쳐보겠다'고 했다. 어릴 적 재능을 한눈에 알아보고 내가 맡아서 키우겠다고 말할 수 있는 좋은 스승을 만났기에 추사 김정희로 이름을 떨치게 된 것이다.

나는 어렸을 때부터 겁 많은 소심한 아이로 자랐고 감정표현에도 많이 서투르고 인내력이 부족하여 매사 포기하는 삶을 살았었다. 용기란 두려움을 이겨낸 사람들만이 하는 줄 알았다. 마땅히 해야 할 일은 마땅히 하고 절대 해서는 안 되는 일은 마땅히 하지 않는 것이 삶의 순리인 것을 그 순리를 거스르면서 온 세상 밖을 떠돌게 되었던 것이다.

젊을 때는 길을 몰라서 헤매었지만 지금은 내 안에 있는 마음의 소리에 귀를 기울이게 되었다. 선택에 있어서 가장 중요한 것은 '나'라는 것을 알게 된 것이다. 나약하고 경솔한 '나'인지, 강인하고 현명한 '나'인지 나에게 귀 기울이며 진정한 나를 만나야 삶이 활짝 피어나는 꽃처럼 향기가 난다는 것을.

– 어떤 사람이 영험하다는 스님을 찾아가 물었습니다.

"스님, 저는 사는 게 너무 힘듭니다.

매일같이 이어지는 스트레스로 인해 너무나도 불행합니다.

제발 저에게 행복해지는 비결을 가르쳐 주십시오."

이 말을 들은 스님은 "제가 지금 정원을 가꿔야 하거든요. 그동안에 이 가방 좀 가지고 계세요."라고 부탁을 합니다. 가방 안에는 무엇이 들었는지 모르지만 그렇게 무겁지는 않았지요. 그는 행복의 비결을 말해주지 않고 가방을 들고 있으라는 부탁에 당황하기는 했지만, 정원 가꾸는 일이 급해서일 것이라고 생각했습니다. 그런데 시간이 지나면서 점점 무겁다는 생각이 드는 것입니다. 30분쯤 지나자 어깨가 아파옵니다. 하지만 스님은 도대체 일을 마칠 생각을 하지 않고 있었지요. 참다못한 이 사람이 스님께 물었습니다.

"스님, 이 가방을 언제까지 들고 있어야 합니까?" 이 말에 스님은 한심하다는 표정을 지으며 이렇게 말했습니다. "아니, 무거우면 내려놓지 뭐 하러 지금까지 들고 계십니까?"

바로 이 순간 이 사람은 커다란 깨달음을 얻을 수 있었다고 합니다. 행복하기 위해서는 바로 자신이 들고 있는 것을 내려놓으면 되는 것이었습니다. 내려놓으면 편안해지고 자유로워지는데, 그 무거운 것들을 꼭 움켜잡고 가지고 있으려고 해서 힘들고 어려웠던 거지요. –

세상이 끝난 것처럼 힘들 때가 있었지만 내려놓고 나면 아무것도 아닌 것을, 비움으로써 채워가는 인생이 행복으로 다가가는 길이 된다는 이야기이다.

멈춤으로써 진정한 행복의 인생길을 찾았다. 어찌 보면 나는 작은 행복을 누리며 살고 있었으면서도 지나친 욕망과 욕심 때문에 내려놓지 못해 스스로 불행을 짊어지고 있었던 것이다. 참선을 통해 나를 성찰하게 되면서 내려놓음과 비움을 배웠다. 비운 곳에 아름답고 따뜻한 삶의 향기를 채우며 살아가려 한다.

제 3의 연령기(Third age)

인생은 마라톤이며 후반전에 나의 불꽃을 틔우기 위한 준비 작업이고 마침내 멋있는 불꽃을 피우게 하는 과정이다. 영국의 수상 윈스터 처칠은 '내가 여태까지 살아온 길은, 살아 온 것은 지금 이 순간을 위해서, 이 순간의 판단력을 위해서, 이 순간을 위해서 여태까지 한 준비 과정이다' 라고 했다.

내 인생의 화려한 불꽃을 위한 후반전에 하나의 준비과정이었기에 이런 고통스러운 것도 또 힘든 것도 견딜 수 있었다. 지금 당장의 힘든 과정보다는 길게 보고 준비하면 분명히 좋은 결과를 가질 수 있을 것이다.

어떤 학자는 퍼스트 에이지, 세컨트 에이지, 서드 에이지, 포스 에이지 이렇게 나눴다고 한다. 첫 번째는 학습하는 시기다. 초등학교, 중학교, 고등학교까지, 두 번째는 직장을 갖고 결혼해서 가정을 이루는 시기다. 세 번째는 40세 이후에 삶의 의미를 찾는 시기다. 서드 에이지는 어떻게 보면 인생을 우리가 90세로 볼 때 성숙의 단계, 단기적인 걸 보는 것보다 길게 내가 남은 인생을 한 번 살펴보고 앞으로 남은 인생을 어떤 식으로 이끌어 갈 것인가? 작전타임을 하는 시간이다. 후반전에 내가 화려한 불꽃을 틔우기 위해서 어떻게 살 것인가? 생각할 수 있는 시간이 주어지는 것이 바로 이때다.

젊은 시절엔 돈과 명예, 지위를 좇는 삶을 경쟁적으로 살아간다. 따라서 인생의 전반부에 '돈과 성공'을 추구한다면 후반에부는 '인생의 참다운 의미'를 찾는 삶이 되어야 한다.

나는 사이버대학 상담심리학에 입학한 늦깎이 대학생이고 4학년에 재학 중이다.

이번 학기에 교양과목 교수님 강의를 들으면서 '서드 에이지' 라는 용어를 처음 들었다.

나의 궁금증은 여기에서 머무르지 않고 인터넷에 검색하다가 '서드 에이지, 마흔 이후 30년' 이라는 책을 발견하고 읽어보았다.

미국의 사회학 교수가 40년 전 아프리카에서 근무할 당시 실제 나이와 무관하게 20년 이상 젊게 살고 있는 현지인들에게 강한 인상을 받고 이때의 체험이 계기가 되어 하버드대학 성인발달연구소에서 12년간 연구한 결과로 '서드 에이지, 마흔 이후 30년' 이라는 책을 썼다.

그는 먼저 마흔 이후의 삶을 그저 노화와 퇴행의 시기로만 생각하는 나이 듦에 대한 우리 사회가 갖고 있는 전통적인 시각의 문제점들을 지적한다. 평균 수명의 증가로 물론 20대만큼은 아니지만 우리 인류에게 충분히 육체적으로 건강하면서도 정신적으로 완숙한 30년의 시간이 마치 보너스처럼 더 생겼기 때문이다. 이에 따라 마흔 이후부터 60대 중후반의 시기는 예전처럼 그저 하루하루 나이 먹으며 퇴보해가는 기간이 아니라 얼마든지 인생의 새로운 성장과 발달이 가능한 젊음의 시기를 그는 제 3의 연령기로 서드 에이지라 이름을 붙였다.

문제는 대다수의 사람들이 나이 듦에 대한 기존의 그릇된 관념들을 당연한 것으로 받아들여 자신의 삶을 바꾸고 새롭게 제 2의 인생을 살 수 있는 소중한 기회를 포기하거나 놓쳐버리는 데 있다. 문학작품이나 예술, 대중매체 등에서 묘사하는 중년에 대한 갖가지 부정적인 고정관념들은 평균수명 고작 50~60세로 중년의 시기가 곧 다가올 죽음을 맞는 전 단계에 불과했던 20세기에 주로 형성된 것이다.

평균수명이 이미 80세에 도달한 현재와 앞으로 더 늘어날 미래를 고려할 때 이것은 수정되어야 할 낡고 시대착오적인 생각에 불과한 것이다. 따라서 그는 우리에게 이 나이에는 반드시 이렇게 해야 한다는 우리 사회가 강요하는 나이에 따른 역할놀이를 과감히 거부하고 그동안 우리가 평가절하해 온 마흔 이후 30년을 다시 바라볼 것을 제안한다.

평균수명 증가로 마흔 이후의 삶을 새롭게 바라볼 것을 주장하는 이코노미스트, 커버스토리 이야기와 함께 그는 마흔 이후 새로운 성장을 위한 구체적인 방법론으로 6가지 원칙을 제시한다. 그것은 중년의 정체성 확립하기, 일과 여가 활동의 조화, 자신에 대한 배려와 타인에 대한 배려, 용감한 현실주의와 낙관주의, 진지한 성찰과 과감한 실행, 개인의 자유와 타인과의 친밀한 관계 등이다.

그가 제시한 이 여섯 가지 원칙 중에서 특히 인상적인 것은 첫 번째인 중년의 정체성 확립에 관한 부분이다. 흔히 알고 있듯 정체성 확립이란 청소년기의 중요한 문제이기 때문이다.

그렇다면 새삼스레 내가 오십이 넘은 나이에 다시금 정체성을 고민해야 할 이유는 어디에 있을까? 정신분석학자이자 심리학자인 에릭 에릭슨에 의하면 개인의 정체성이란 한번 형성되면 끝나는 것이 아니라 끊임없이 계속해서 진행되어야 할 과정이라고 한다.

하루하루 눈부시게 빠른 속도로 발전하는 복잡한 세계 속에 우리가 살고 있기 때문이다.

특히 한국의 많은 40~60대들은 60~80년대에 청소년기를 보냈다. 이들은 입시위주의 주입식 교육이 전부였던 그 시절, 하고 싶은 일이나 장래의 꿈에 대해 별로 고민해보지 못하고 자란 세대다. 당시 전반적인 사회 분위기가 그랬지만 대학진학이나 직업선택 등 자신의 삶에 중요한 선택 역시 상당 부분 부모님의 기대나 사회적 가치 기준에 따라 정했다.

많은 이들이 중년에 이르기까지 진정 자신이 원하는 삶을 자신의 머리와 손으로 고민하고 선택하지 못하고 살아온 셈이다.

그만큼 중년의 정체성을 확립하는 문제가 더 중요할 수 밖에 없는 까닭이다.

로버트 프로스트의 시처럼 인생에서 항상 가지 않은 길에 대한 미련은 남는다.

인간은 이 지구상에서 자신이 왜 사는가를 고민하는 거

의 유일한 존재다.

청소년기는 물론 대학을 졸업하고 사회에 나와서도 매일매일 반복되는 직장생활과 남들과 별반 차이가 없는 삶을 살아가는 것이 대다수 사람들의 모습이다. 그러면서 항상 가보지 못한 길을 동경하고 다시 태어난다면 얼마나 좋을까 후회하며 산다.

저자인 윌리엄 새들러의 설명대로라면 이제 그것이 가능해졌다. 다시 태어날 수는 없지만 마흔 이후 무려 30년이라는 시간이 새롭게 주어졌는데 무엇을 망설이고 또 무엇이 두려운가? 이제라도 지금껏 목표로 삼아왔던 돈, 승진 등 외적인 가치 기준이나 다른 사람의 시선보다 정말 내가 인생에서 무엇을 원하는지 내면의 목소리에 좀 더 귀 기울여 보자.

분명한 것은 후회한 일을 또다시 반복하는 것만큼 어리석은 짓은 없다는 것과 당신의 삶은 유한하다는 것이다. 어차피 한 번밖에 살지 못할 인생 지금이라도 더 늦기 전에 당신이 진정으로 원하는 것을 찾아서 당장 시작하자. 나이 듦에 대한 새로운 성찰과 함께 던지는 메시지이다.

마흔이면 불혹의 나이라고 해서 인터넷에 찾아보면 '부질없이 망설이거나 무엇에 마음이 홀리거나 하지 않음.'

이라고 나와 있다. 40세 하면 새로운 무언가를 추구할 수 있는 나이라기보다는 이미 무언가를 이루었어야 하는 나이, 즉 지금 서 있는 위치가 그동안의 걸어온 인생의 결과이며 이것은 곧 노후의 비전까지 이어지는 연령이라고 말하는 게 아닌가 싶다. 새로움을 추구할 수 있는 나이라기보다는 이미 이루어진 것을 다듬고 마무리하는 연령기로 비춰진다.

그러나 요즈음 40~70대의 연령기는 새로운 시각으로 부각되고 있다. 그러하기에 불혹의 나이를 훌쩍 넘어버린 나에게 힘이 된다. 엄청난 성장과 잠재력이 숨겨져 있는 새로운 미개척지가 제 3의 연령기이다. 즉 서드 에이지라고 한다. 그동안 40대의 연령기가 평가 절하되어 있었다면 앞으로는 40~60세 이후 20~30여 년간을 어떻게 살아갈 수 있는가의 중요한 터닝포인트가 되는 나이인 듯하다. 그동안 미개척지인 연령기 서드 에이지가 이제는 보너스로 주어진 연령기를 통해서 새로운 인생 도약을 위하여 새로운 것을 얼마든지 추구할 수 있는 충분한 시간이 우리에게 주어졌다. 다만 이 소중한 시간을 얼마만큼 희망차게 받아들여 나의 것으로 다시 소화해 나갈 수 있는가가 관건이라고 생각한다.

불혹이 넘은 나이에도 거듭하지 않으면 남은 생은 비참해질 수 있다. 현실에 안주하지 말것, 그것이 첫 번째이고 둘째는 무엇이든 새로 시작하라는 것, 전후 앞뒤만 살피면 모험심은 사라지고 마음만 괴로울 뿐이다. 현명함과 지혜로 과거는 절대 돌아보지 말고 오직 오늘 일과 내일 할 일만 생각하는 것이 세 번째다. 흙 속에서 진주로 발견한 '서드 에이지'는 나의 존재감을 느끼고 의미 있는 삶을 살기 위한 초석이 되었다.

내 나이 제 3의 연령기 서드 에이지이다. 아직 찾지 못한 잠재력을 발견하여 무엇이든지 새로운 인생을 개척할 수 있는 시간이 주어졌다. 이미 인생의 한복판에 주사위는 던져진 것이다. 무엇을 망설이겠는가? 아직 피우지 못한 내가 살아가야 할 존재의 이유다.

유행가에 나오는 가사처럼 내 인생은 나의 것이다. 아무도 대신 살아줄 수 없다.

평범한 삶을 살았다면 어떠했을까? 하늘 높은 줄 모르고 자만심을 품고 살았을 것이다.

힘든 삶에는 뜻이 있을 것이다. 지금은 수용하며 감사함을 느낀다. 이 순간에도 부처님의 가르침을 법문으로 전해 듣고 믿을 수 있기 때문이다.

내 인생을 바꾼 순간의 한마디

어느 날 두 사람이 스승을 찾아갔다.

한 사람은 그 고을에서 제일가는 부자이고 또 한 사람은 가난한 사람이었다. 두 사람은 스승을 기다리게 되었는데 부자가 조금 일찍 도착해서 먼저 스승의 방에 안내됐다. 방에 들어간 지 한 시간쯤 후에 부자는 방에서 나왔다. 가난한 사나이가 다음 차례로 스승의 방에 들어가게 됐는데 가난한 사람의 면담은 단 5분 만에 끝났다. 그러자 가난한 사람이 말했다. "선생님, 아까 부자가 찾아왔을 때 당신께서는 한 시간 동안이나 응대해 주셨는데 저는 5분입니다. 그게 공평한 노릇인지요?"

스승이 대답했다.

"당신의 경우엔 가난한 것을 금세 알아차렸소. 그런데 그 갑부는 마음이 가난한 것을 알아차리기까지 한 시간이나 걸렸다오."

몇 년 전에 읽었던 책에 나온 이야기이다. 그 당시에는 특별히 이렇다 할 생각 없이 무심하게 읽었다. 그러나 코로나19로 인해 여유시간이 많아졌다. 매일같이 새벽예불과 참선을 할 수도 없어 멈추었다. 정부에서 사회적 거리두기 실시하면서 모든 단체나 종교시설 집회금지가 되었다. 내가 운영하는 가게도 손님이 많이 줄었다. 예전 같았으면 손님이 없으면 스트레스를 받았을 텐데 지금은 오히려 감정보다 생각이 앞섰다. 그동안 상담심리학 공부하면서 새벽예불과 참선 체험을 통해 글쓰기에 도전하고 새벽장사까지 하루에 2~3시간밖에 잠을 못 잤었다. 그러나 위기상황이 오히려 나에게는 기회라는 생각을 끌어냈다. 시간 여유가 생기면서부터 독서를 하게 되었다. 얼마 전부터 가끔 예전에 읽었던 책을 다시 읽어 보는데 새로운 감성으로 다가오면서 무심코 넘긴 글들을 마음속으로 새기며 읽고 있다.

한번 읽고 난 책은 먼지에 쌓여 책꽂이에 빽빽하게 채워져 있었고 제목만 눈에 보였다. 내가 읽은 책으로만 생각했을 뿐 그 안에 씌어 있는 글을 다 기억하지 못한다. 새 책을 사서 쌓아 놓고 아직도 다 읽지 못한 책과 중간까지 읽고 접어 놓은 책도 있었다. 한 마디로 그림의 떡처럼 바라보기만 했을 뿐이다. 책의 내용을 가슴속 깊이 새기지 못한 채 기억에 남아 있지 않고 생소하다는 생각이 충격으로 다가왔다. 물론 세월이 흘렀기 때문일 수도 있지만 조금이라도 기록을 남겼더라면 최소한 희미한 기억이라도 남아 있었을 것이다.

그날 이후로 예전에 읽었던 책을 다시 읽기 시작하면서 독서노트를 쓰고 있다. 추운 겨울이 지나가고 봄이 되면 새싹이 새록새록 돋아나는 것처럼 이미 알고 있는 사실에 대하여 느껴지는 감정이 갑자기 새로워졌다. 틈틈이 오래된 추억의 책도 읽고 최근에 새로 나온 책도 읽으며 세상의 중심에서 나를 찾아가고 있다.

18세기 농경시대, 19세기 산업화시대, 20세기 정보화시대, 21세기에는 타인과 공감하는 능력이 중요한 하이컨셉의 시대이며 작가인 다니엘 핑크가 새로운 미래가 온다고 말했다.

세계경제포럼 (일명 다보스 포럼)의 설립자이자 회장인 클라우스 슈밥의 제 4차 산업혁명의 화두가 제기된 후 지금까지 전 세계적인 관심사로 부각되고 있다. 미래학자 앨빈 토플러의 부의 미래에서는 제 3의 물결을 넘어 제4의 물결이 오는 초현실사회를 예언했다. 인간은 극도로 개인주의적인 디지털 인간으로 변모될 것이다. 로봇, 인공지능의 발달로 인간은 수명의 한계, 신체적 한계, 지적인 한계를 극복하고 소득보다 즐김(fun), 행복, 자기 만족 선호에 높은 가치를 두는 초현실사회가 될 것이라고 했다.

제 4차 산업혁명의 시대에 다가온 현재는 점점 고령화로 100세 시대라고 하지 않은가?

정신건강의학과 의사인 이시형 박사는 거대한 문명의 시대에 경쟁, 욕심, 공격성보다 신체적, 정서적, 정신적 건강체를 만드는 세로토닌과 사랑의 호르몬 옥시토신은 타인과의 유대감에서 촉진되는 호르몬이라고 한다, 옥시토신이 많이 분비될수록 대인관계가 좋아지고 젊게, 건강하게, 행복하게 살 수 있다고 한다. 그리고 100세 너머까지 우아하고 아름답게 내 발로 걸을 수 있고 치매에 걸리지 않으려면 생애, 현역으로 뛰어야 한다고 했다. 예를 들어 연예계에서 유명한 송해, 이순재, 이상용 선생님들의 이야기를 들 수 있다.

송해 선생님은 전국노래자랑 사회를 보면서 수많은 사람들과 풍자와 해학으로 웃음을 선사하면서 만 94세의 나이에도 현역으로 활동하며 건강할 수 있었고, 이순재

선생님은 만 86세 나이에도 배우로 활동하며 후배 연예인의 모범을 보여주는 선배로 유명하다. 매사에 준비를 철저히 하고 노력하며 현역배우로 활동하는 비결이 건강한 정신력이라고 했다. 그리고 뽀빠이로 알려진 이상용 선생님은 만 77세 나이가 믿기지 않는 팔 근육을 뽐낼 정도로 꾸준히 운동을 한다. 매일같이 책을 읽고 메모해서 이야기의 주제로 삼아 강연하고 있다고 들었다. 얼마나 아름다운 노후 인생인가? 건강하고 멋진 인생의 삶을 살고 있는 그분들에게 우리는 배워야 할 것이다.

내 인생을 바꾼 순간의 한마디는 '용서'이다.

시절인연이 되어 만난 회주 큰스님의 첫 법문을 들었다.

'용서는 우리로 하여금 세상의 모든 존재를 향해 나아갈 수 있게 한다.'는 법문을 듣는 순간 감추려고 했던 상처가 아픔으로 밀려오는 것을 느끼기 시작했다. 사람들은 인생을 살아가는 동안 상처를 주기도 하고, 상처를 입히기도 한다. 자신이 타인에게 준 상처는 기억하지 못해도 남들이 나에게 입힌 상처는 오래 간다. 특히 가족에 대한 신뢰가 깨진 경우에는 더욱 깊은 상처가 되어 미움,

증오, 복수심으로 남아 평생을 따라다닌다. 10년이 넘는 세월 동안 인연을 끊고 살았지만 한쪽 가슴에는 미움과 증오로 남았고 또 다른 한쪽 가슴에는 죄책감도 머무르고 있었다. 결코 행복하지 않은 삶이었다.

'무엇이 우리에게 가장 커다란 행복을 가져다 줄 것인가를 알아내는 것이 중요하다. 그것이 다름 아닌 용서와 자비이다.' 분노나 미움, 적대적인 감정을 가지고 싸움에서 승리를 거둔다 해도 삶에서 그는 진정한 승리자가 아니다. 진정한 승리자는 적이 아닌 자기 자신의 분노와 미움을 이겨낸 사람이다. 진정한 자비심은 다른 사람의 고통을 볼 줄 아는 마음이다. 타인을 향해 따뜻하고 친밀한 감정을 키우면 자연히 자신의 마음도 편안해진다는 달라이라마 스님의 말씀이다. 이 법문을 듣는 순간 나에게 용서와 화해로 자유로움을 찾으라는 듯이 가슴속에 스며들어왔다.

'용서'는 과거에 갇혀 살고 있던 나를 꺼내어 용서하지 않으면 용서받을 수 없다는 것과 상대방을 위한 것이 아니라 나 자신을 위한 것이라는 것을 알게 되었다. 즉, 집착에서 벗어나서 자유로워지고 스스로가 정신적으로 행복해질 수 있다는 것이다.

멈출 수밖에 없는 이유와 또 다른 멈춤으로서 새로운 삶을 찾아갈 수 있는 길은 '용서'였다.

10년이란 세월을 멈추었기에 볼 수 있었고, '용서'라는 한마디는 내 인생을 바꾸어 놓은 또 다른 멈춤으로 이정표가 되었다. 한 시간도 안 되는 거리임에도 12년 동안 만날 수 없었던 가족과 재회를 하게 되었다. 하루아침에 사라지지 않을 상처였지만 나를 바라볼 수 있게 해주었고 이 순간 이 글을 쓰면서 치유할 수 있는 기회가 주어진 것이다. 더 나아가 멀리 바라볼 수 있는 상호 연관의 시각에서 세상을 바라볼 수 있게 되었다.

성철 큰스님의 '네 운명은 네 손에 있는 것이지 다른 사람의 입에 달린 것이 아니다. 다른 사람으로 인해 네 운명을 포기하지 말라.' 는 이 글을 빽빽하게 꽂혀 있던 책 속에서 다시 만날 수 있다는 것도 행운이다. 이제는 어떤 책이든 마음의 눈으로 볼 수 있다는 사실도 알게 되면서 분명히 내 안에 있는 뜨거운 심장을 찾아서 인생여행을 다시 시작하려고 한다.

'가지 않은 길'을 선택한 시인처럼 우리들의 삶 또한 마음에서 오는 것이며, 또 다른 길을 선택하는 것도 마음이고, 목적 있는 삶을 향해 달리는 것도 마음으로 가는 길이다.

생각의 끝에서 방향을 희망으로 바꾸고, 모든 것을 다 놓아버리고 싶지만 긍정적 시각으로 지금까지 아껴둔 마음을 표현하려고 한다.

용서는 순간 마음에서 벗어나 자유로움을 얻을 수 있는 나 자신을 위한 용서였다. 내가 강하면 강할수록 고통스럽게 부딪쳤다는 것도 알게 되었다. 시절인연으로 정법을 만날 수 있는 것도 행운이다. 정법은 부처님의 가르침, 즉 반야의 가르침은 밝아지는 가르침이다.

인생을 살다 보면 한 번쯤은 시련과 고통이 찾아올 때가 있다. 삶이 계획대로 풀리지 않을 때도 있다. 언제든 예상치 못한 일이 닥칠 수 있다는 것을 알고 운명을 탓하면서 시간을 낭비하지 않기를 바란다. 과거에 집착하지 말고 미래만 바라보지 말고 현재를 소중하게 생각했으면 한다. 현재를 충실하게 살다 보면 삶의 가치 있는 인생길을 만날 수 있다.

우리는 아직 선택할 시간들이 남아 있다. 순간의 선택이 삶의 방향을 결정하듯이 나의 삶을 디자인하라. 아무도 가지 않은 길을 선택하기로 했다. 후회도 미련도 남기고 싶지 않다.

길고 긴 여정의 끝에 언젠가는 깨달음에 이르는 길을 찾게 될 것이다.

젊은 시절엔 돈과 명예, 지위를 쫓는 삶을 경쟁적으로 살아간다. 따라서 인생의 전반부가 '돈과 성공'을 추구한다면, 후반부는 '인생의 참다운 의미'를 찾는 성공적인 인생의 서드 에이지(third age) 삶이 되었으면 하는 바람이다.

실패한 낙오자일지라도 지혜로운 사람은 위기를 기회로 삼아 용기와 희망의 동기가 되어 세상 사람들과 소통하며 공감할 수 있는 인생의 전환점이 되었으면 한다.

아인슈타인은 삶을 두 가지 시선에서 본다고 한다. 어떤 사람은 '나의 인생에 있어서 기적이란 없구나?' 라고 보는 사람도 있고, 어떤 부류는 '나의 인생은 하루하루가 매일매일 기적이었구나!' 라고 보는 사람도 있다고 한다. 그래서 행복이라는 주제를 가지고 그 행복을 삶에 투영해서 여러분들이 조금 더 행복할 수 있게, 여러분과 내가 좀 더 행복이 무엇인가? 라는 것을 생각하며 달려왔을 것이다. 어쩌면 행복이라는 것은 우리 마음속에 있는지 모른다. 스스로 나에겐 행복이 있을 수 없다고 생각할 수 있다. 어떤 부류는 나에겐 하루하루가 이 해가 떠오르는 이 광경에서부터 여러분과 내가 할 수 있는 이 시간에서부터 인생시험까지도 나한테 주어져 있는 행복이구나? 이런 것을 모르고 인생시험을 못 푸는 분도 있다. 결국 행복이라는 것은 마음속에 있는 것이다. 여러분 모두 마음속에 행복을 그리면서 앞으로 나아가고 삶이 유익해졌으면 한다.

마치는 글

소심한 성격으로 친구가 없었던 나에게 처음으로 항상 적극적이면서 긍정적인 성격을 지닌 친구와 단짝이 되면서부터 나의 성격은 점점 자신감을 갖게 되고 국어 시간에 시 낭독을 잘해서 선생님한테 칭찬을 받으며 작가가 되는 꿈을 갖게 되었다.

나는 시와 수필을 좋아했다.

시를 읽으면 작가의 마음을 알고 싶어 반복해서 읊으며 눈을 감고 외우며 감성에 빠질 때가 많았고, 어떤 시는 읽으면서 감정에 빠져 울면서 읽을 때도 있었다. 그리고 수필을 읽으면 그 사람의 인생경험이나 자연과 일상생활의 체험담을 간접경험하면서 지식을 배울 수 있어서 무척 좋아했다. 장래희망사항에는 시인, 수필가라고 당당하게 써 놓을 정도로 환상의 꿈을 꾸며 잊지 못할 추억의 학창시절을 보냈다.

그러나 부모님의 빚 보증으로 어려운 가정형편 때문에 나의 꿈을 포기할 수밖에 없었고, 상고 졸업 후 친구들이 부러워할 정도로 (주)대우 계열사인 대우정밀 총무과에 입사했지만 꿈을 포기할 수 없어서 2년 만에 퇴사했다.

무작정 서울로 상경하여 건설회사 경리과에서 일하며 퇴근 후 종로학원에 가서 공부를 했다. 두 번째 꿈을 이루기 위해 도전했지만 또다시 한쪽 마음속에 빈자리로 남겨둔 채 남편을 만나 결혼과 동시에 자녀들을 키우면서 한동안 평범한 가정주부로 살고 있었다.

평생 행복할 줄 알았던 결혼생활에 어느 날 갑자기 회오리바람처럼 불어 닥친 내 인생은 또다시 불행이 닥쳐오면서 거듭되는 불행 속에 상처만 남기고 이 세상에 외톨이가 되었다. 이 세상은 평범한 삶을 살고자 하는 나를 가만히 내버려두지 않았다. 우울증으로 인해 죽음의 문턱까지 넘나들면서 괴로워하고 있을 때 절망에서 희망이라는 빛을 보게 되었다.

죽음까지 생각한 우울증에서 홀로서기를 할 수 있게 된 것은 부처님 법을 만난 것이다.

3년 동안 부처님 도량에서 몸에 날개를 달은 듯 눈이 오나 비가 많이 와도 하루도 빠지지 않고 오로지 일편단심으로 부처님 시봉하던 시절이 내 인생의 최고의 행운이었다.

3년이란 시간이 지난 후, 또다시 걸림과 번뇌 속에서

10년 동안 방황하면서 또다시 외톨이가 되었다. 어느 사찰에 가서 머무르면 계속해서 시련과 고통 속에 머무를 수 없게 되었고, 결국 모든 인연을 끊고 또다시 홀로서기를 해야만 했다. 가끔 마음이 일어나면 전국 사찰 성지순례를 하면서 떠돌이 불자로 살아야만 했었다.

수술을 한 후 후유증으로 가끔 일어나는 마음조차도 멈추어 버렸다. 어디에도 갈 수 없었고 마음에서도 멀어져 갔다. 도반들과도 인연을 끊고 인연 있었던 스님들과도 인연을 끊어버렸다.

한동안 부처님도 잊어버리고 살았다. 3년이 흐른 뒤 어느 날 작은 조카딸이 말했다.

'고모 왜 절에 안 가요?' '왜! 가고 싶어?'

'부처님 보러 절에 가고 싶어요!'

8살밖에 안 된 조카딸이 부처님 보러 가고 싶다고 해서 망설이고 있는데 우연히 텔레비전에서 성철스님 이야기가 나왔다. 그 순간 성철스님이 계셨던 백련암으로 한 번 찾아가고 싶다는 마음이 일어났다. 살아생전에 뵙지는 못했지만 성철스님의 발자취를 찾아서 걸어보고 싶은 마음이 들기 시작했다.

며칠 후 일요일에 남편과 큰 딸,손녀, 조카들을 데리고 백련암으로 갈 수 있게 된 계기가 되면서부터 잊고 있던 불심이 다시 일어나기 시작했지만 발걸음은 쉽게 떨어지질 않았다.

성철스님의 명언이 적힌 책을 보면서 공부하고 싶다는 또 다른 마음이 일어나기 시작하였고 상담심리학 공부를 하게 되었다. 그리고 서울사이버대학교 선배님을 만나 한주스님의 소식을 듣게 되면서 보현선원 도량과 인연이 시작되었다.

드디어 내 인생의 빛이 되어 주신 시절인연으로 만난 보현선원 회주 큰스님과 한주스님의 가르침에 잊어버리고 살던 꿈이 되살아나기 시작했다. 이번에는 쉽게 포기할 수 없었고 멈출 수 없는 열정이 생기면서 도저히 잠을 잘 수 없을 정도로 한쪽 가슴에 묻어두었던 꿈이 불같이 일어나기 시작한 것이다.

새벽예불과 새벽 참선을 하면서 더욱더 간절한 마음이 일어나 몇 개월 동안 누워서 잠을 못 자고 매일같이 의자에 앉은 채 잠이 들 정도였다.

꿈 너머 꿈을 이루기 위해 무언가를 배울 수 있는 강의를 들으러 여러 곳을 헤매 다니다가 마침내 글쓰기 이은대 작가님의 특별한 강의를 들을 수 있었다.

참선 체험은 내 인생의 최고의 만남과 선택이었다.

닫혀 있었던 마음의 상처를 치유하며 새로운 꿈을 찾아 갈 수 있도록 이끌어준 참선이다. 한때는 먼 곳만 바라보던 나를 가까운 곳 무엇보다 자신의 내면을 바라볼 수 있다는 것, 때로는 질문이 내 삶의 새로운 시작의 의미가 되었다는 것이다.

참선하면서 온갖 번뇌로 힘들 때 부처님께 질문을 던졌기 때문에 마음의 소리를 듣게 되었다. 마음속에 있는 어떤 이야기든 부처님께 허심탄회하게 이야기하라. 격식을 차린 말을 사용한다는 생각을 버리고 흔히 쓰는 말투로 이야기해도 부처님은 다 알아들으실 것이다. 나는 형식에 얽매이지 않고 단순하게 편안하고 자연스럽게 기도를 했다. 어느 순간 불가능도 가능으로 바뀐다는 것을 보여주고 확실히 존재하는 힘이 있다는 것을 알 수 있었다.

새벽예불을 하면서부터 내 자신에 대한 불신으로 한 발짝도 내딛지 못했던 나를 마주서서 볼 수 있게 해주고 내면의 빛이 밖으로 발산되듯이 환하게 빛이 날 수 있는 가장 강력한 힘으로 이끌어 주었다. 살면서 힘든 상황도 큰 어려움도 겪을 수 있고 어느 누구도 평탄한 삶을 사는 사람은 드물고 지혜로운 사람은 위기를 기회로 만들어 갈 수 있다.

숨 돌릴 틈 없이 바쁘게 돌아가는 세상의 물결에 휩쓸려 떠내려가지 않으려면 성찰을 통해 내면을 살필 수 있도록 조용히 혼자서 몇 분이라도 참선을 해보는 것도 좋다.

앞으로도 끊임없는 참선 체험을 바탕삼아 수행정진하면서 글쓰기를 통해 청소년을 위한 강연을 하는 작가로, 명상심리상담사가 되어 꿈과 희망을 잃은 청소년들과 누군가에게 희망이란 씨앗을 심어줄 수 있도록 동기부여가 되는 강연자가 되고 싶다.

며칠 전 회주 큰스님께서 말씀하셨다.

"누군가가 용서해야 한다. 누군가가 가슴으로 받아들여야 한다. 이 세상에 존재하는 모든 생명은 하나다. 욕망과 욕심을 내려놓아야 한다.

못 살겠다는 말보다 나는 잘 살겠다는 말을 하라."

그 순간 나는 가방에서 수첩을 꺼내 메모를 했다. 일상적인 이야기지만 다시 한번 내 마음을 상기시켜준 법문이다.

모든 인연은 때로는 잘 만나야 한다. 좋은 일은 추억이 될 것이고 나쁜 일은 경험이 된다. 이번 우리나라에 전례 없는 코로나19의 위기상황에서 목숨을 걸고 생명을 지키려는 많은 의료진과 자원봉사자들, 어려운 이웃을 위해 배려와 나눔을 실천하는 많은 국민들을 보며 자긍심을 갖게 되었다. 항상 열린 자세로 경청하며 우리 사회에 다양한 가치에 귀를 기울이며 한 번뿐인 인생, 실패라는 장애물이 있더라도 이제는 두렵지 않다.

삶이 활짝 피어나는 꽃처럼 나의 인생 속에 숨어 있는 가치를 찾는 기회가 왔을 때 도전하는 용기만 있다면 얼마든지 새로운 길을 갈 수 있다.

새로운 통찰력으로 지혜와 용기를 얻을 수 있게 해 준 부처님의 가르침을 만날 수 있어서 행복하다. 모든 이들이 생각을 바꾸면 우리의 삶과 마음이 달라지듯이 새로운 전환점이 되어 자신의 꿈에 한 발짝 더 가까워졌으면 한다.

내 인생항로에 등대가 되어주신 스님들께 감사드리고 이 책을 완성할 수 있도록 도움을 주신 이은대 작가님께 감사드린다.

삶이 활짝 피어나는 꽃처럼

발행일	2021년 5월 15일
지은이	김선영
펴낸곳	도서출판 도반
펴낸이	김광호
편집	김광호, 이상미
대표전화	031-465-1285
이메일	dobanbooks@naver.com
홈페이지	http://dobanbooks.co.kr
주소	경기도 안양시 만안구 안양로 332번길 32